Merveilleuses
Cathédrales
de France

Merveilleuses
Cathédrales
de France

Editions Princesse
55, Quai des Grands Augustins 75006 Paris

PRODUCTION AGENCE INTERNATIONALE D'ÉDITION JEAN F. GONTHIER
8, avenue Villardin, 1009 Pully (Suisse).

Page de titre :
Au-dessus du portail central de la cathédrale de Strasbourg, s'ouvre la grande rosace posée vers 1318. Elle est formée de quinze pétales et encadrée de rosettes non moins délicates. Le double gâble à pinacle du portail vient y mêler sa dentelle.

© *Agence Internationale d'Edition Jean F. Gonthier, 1009 Pully (Switzerland), 1981 and © Créalivres, Jean F. Lamunière, 1010 Lausanne (Switzerland), 1981.*

Edition française Princesse, Janvier 1986 ISBN 2-85961-122-3 Imprimé par Sirven Grafic, S.A. Barcelona Dep. L. B. 162-1986 Imprimé en Espagne

Crédits Photographiques :

Jacquette face, T. Schneiders (Ziolo). Jacquette dos, Candelier-Brumaire (Ziolo). Pages de garde, Créalivres. Pages de titre, M. Guillard (Scope). Pg. 15, L. Salou (Explorer). Pg. 16, J. Feuillie (Arch. Phot. Paris S.P.A.D.E.M.). Pg. 17, G. Sioen (C.E.D.R.I.). Pg. 18, bas, G. Sioen (C.E.D.R.I.). Pgs. 18-19, Munatallah (Ziolo). Pgs. 20-21, Pictor-Aarons. Pg. 25, Phedon Salou (Ziolo). Pgs. 26-27, J. Guillot (Connaissance des Arts). Pg. 28, gauche, A. Allemand (Ziolo). Pg. 28, droite, J. Feuillie (Arch. Phot. Paris S.P.A.D.E.M.). Pg. 29, J. Guillot (Connaissance des Arts). Pgs. 32-33, J. Feuillie (Arch. Phot. Paris S.P.A.D.E.M.). Pgs. 34-35-36-37, M. Guillard (Scope). Pg. 41, J. Feuillie (Arch. Phot. Paris S.P.A.D.E.M.). Pgs. 42-43, B. Jolivalt (Vloo). Pg. 47, Phedon Salou (Ziolo). Pgs. 48-49, J. Feuillie (Arch. Phot. Paris S.P.A.D.E.M.). Pg. 53, M. Nahmias (Top). Pgs. 54-55, Candelier-Brumaire (Ziolo). Pg. 56, haut et bas, J. Feuillie (Arch. Phot. Paris S.P.A.D.E.M.). Pg. 57, Promophot (Ziolo). Pg. 61, Phedon Salou (Ziolo). Pgs. 62-63 Faillet (Ziolo). Pg. 64, S. Marmounier (C.E.D.R.I.). Pg. 65, K. Takase (Ziolo). Pg. 66, P. Tetrel (Explorer). Pg. 67, Candelier-Brumaire (Ziolo). Pgs. 68-69, T. Schneiders (Ziolo). Pgs. 73-74-75, M. Cambazard (Explorer). Pg. 76, C. Cuny (Explorer). Pg. 77, Cambazard (Explorer). Pgs. 80-81, Cl. Rives (C.E.D.R.I.). Pg. 82, haut et bas, Éditions La Goëlette. Pg. 83, Promophot (Ziolo). Pgs. 86-87, Éditions La Goëlette. Pg. 88, M. Guillard (Scope). Pgs. 89-90-91, Éditions La Goëlette. Pgs. 94-95, Cherville (Fotogram). Pgs. 98-99, M. Guillard (Scope). Pg. 100, Éditions Ligneau. Pg. 101, Éditions La Goëlette. Pg. 105, Candelier-Brumaire (Ziolo). Pg. 106, J. Feuillie (Arch. Phot. Paris S.P.A.D.E.M.). Pg. 107, R. Perrin (Atlas Photo). Pg. 108, haut, R. Mazin (Top). Pg. 108, bas, D. Barbier (Atlas Photo). Pg. 109, J. Feuillie (Arch. Phot. Paris S.P.A.D.E.M.). Pgs. 110-111, T. Schneiders (Ziolo). Pgs. 114-115-116, Y.-R. Caoudal. Pg. 117, M. Guillard (Scope). Pgs. 118-119, Y.-R. Caoudal. Pg. 123, T. Schneiders (Ziolo). Pgs. 124-125, Candelier-Brumaire (Ziolo). Pgs. 126-127, K. Takase (Ziolo). Pgs. 128-129-130-131, J. Feuillie (Arch. Phot. Paris S.P.A.D.E.M.). Pg. 135, Ch. Lenars (Atlas Photo). Pgs. 136-137, J. Guillard (Scope). Pgs. 138-139, A. Petit (Atlas Photo). Pg. 143, T. Schneiders (Ziolo). Pg. 144, Phedon Salou (Ziolo). Pg. 145, Ch. de Rudder (Vloo). Pg. 146, J. Feuillie (Arch. Phot. Paris S.P.A.D.E.M.). Pg. 147, Phedon Salou (Ziolo). Pg. 148, Ph. Beuzen (Scope). Pg. 149, P. Tetrel (Explorer). Pg. 152, Éditions La Goëlette. Pg. 153, Éditions Combier. Pgs. 154-155, A. Petit (Atlas Photo).

Table

Introduction

Depuis près de mille ans, les cathédrales dressent vers le ciel leurs flèches et leurs tours, comme un défi au temps. Elles ont traversé les siècles, malgré toutes les péripéties de l'Histoire : guerres, invasions, incendies, bombardement qui ne les ont pas épargnées. Il serait faux de croire que c'est à la « grande crainte de l'An mil » que nous les devons. En effet, si c'est à partir du XIIᵉ siècle qu'elles furent construites à peu près telles que nous les connaissons aujourd'hui, leur origine est beaucoup plus lointaine et remonte aux tout premiers temps de la chrétienté. En effet, comme l'a écrit Louis Gillet : « Comme un arbre jaillit d'un lit de feuilles mortes, la cathédrale repose sur un lit de cathédrales ensevelies. » A l'origine, nous trouvons souvent un sanctuaire païen, sur l'emplacement duquel le premier saint évangélisateur de la région, aux premiers siècles de notre ère, a bâti une église, que les invasions barbares ou tout simplement les flammes ont ensuite dévastée. Une seconde église fut alors construite, qui souvent connut le même sort, puis une autre encore. Enfin, vers le VIIᵉ siècle, les églises carolingiennes, dont peu de vestiges ont subsisté, puis les basiliques pré-romanes ont précédé de quelques décennies les premières cathédrales romanes, comme celle de Laon, que nous pouvons admirer aujourd'hui. Il n'y a jamais eu solution de continuité. Le style roman et le style gothique, les deux principaux styles d'architecture dans lesquels ont été édifiées et décorées les cathédrales se sont non seulement succédé et interpénétré, mais ont même souvent coexisté. Nous constatons, maintes et maintes fois, que la partie romane d'une église, dans laquelle le culte continuait à être célébré, ne cédait qu'au fur et à mesure de l'avancement des travaux d'agrandissement effectués en style gothique. Parfois, comme au Mans, on assiste à la pure et simple juxtaposition d'une nef romane et d'un chœur gothique, sans que cela entraîne la moindre disparité.

On peut affirmer que toutes les cathédrales, même si elles ont été achevées tardivement, comme c'est le cas pour Orléans, sont le fruit de ces deux grands moments de l'architecture. Un bref exposé technique est ici indispensable. La période romane est caractérisée par des édifices de pierres appareillées, c'est-à-dire taillées en vue de leur assemblage, couverts de voûtes en berceau, c'est-à-dire semi-cylindriques et éclairés par des baies en plein-cintre. L'art roman s'inspire de l'art byzantin, que les coupoles de certaines cathédrales de l'ouest de la France, comme celles de Périgueux ou d'Angoulême par exemple, viennent rappeler. C'est surtout dans la seconde moitié du XIᵉ siècle que l'art roman a trouvé son apogée. Il s'est en particulier répandu dans le centre et le sud-ouest de la France — Auvergne et Charentes — en Normandie, en Angleterre. Le rôle de l'art bourguignon fut alors capital et ce sont les architectes bourguignons qui, au XIIᵉ siècle, vont élever des voûtes d'arête —

c'est-à-dire formées par la pénétration de deux berceaux de même cintre — et faire entrer la lumière en élargissant les ouvertures des murs. A la rudesse et à la sobriété de l'art roman va succéder la hardiesse du gothique. Le mot gothique vient de goth, qui signifie barbare. Aussi serait-il plus exact de parler d'art ogival. En effet, les lignes ascendantes composées de piliers en faisceaux vont dresser jusqu'aux plus extrêmes limites la voûte sur croisée d'ogives. C'est à cette innovation capitale que nous devons l'architecture gothique, la croisée d'ogives étant l'armature formée par l'entrecroisement de deux arcs diagonaux. Les architectes vont alors quasiment défier les lois de la pesanteur, comme ce fut le cas, non sans dommages, à Beauvais. Émile Mâle a fort bien conclu que là où l'architecture romane avait organisé des masses, l'architecture gothique organisait des forces. Contreforts, arcs-boutants et piliers constituent désormais la seule armature de l'édifice, permettant d'amincir l'épaisseur des murs et de percer de nombreuses ouvertures. Pour atténuer l'excès de lumière ainsi obtenu, l'art du vitrail, avec ses coloris somptueux va se développer et connaître son âge d'or. On a coutume de distinguer trois périodes dans l'art gothique. Le gothique primitif (fin du XIIᵉ siècle), dont la cathédrale de Laon est un parfait exemple, se caractérise par une élévation à tribunes, triforium et claire-voie ; dans le gothique classique (XIIIᵉ et XIVᵉ siècles), les tribunes sont souvent supprimées et le triforium ajouré : c'est la période des cathédrales de Chartres, Paris, Reims, Amiens ; le gothique tardif, ou flamboyant (XVᵉ siècle) accumule les tours, les clochetons, les ornements divers, comme c'est le cas à Rouen.

Les cathédrales sont un véritable miroir du monde selon la doctrine chrétienne. Le passé, le présent et le futur s'y lisent dans la pierre. De l'Annonciation au Jugement dernier et à la Résurrection des morts, de la création du monde et du Paradis terrestre au pèsement des âmes, c'est toute l'Histoire de l'homme qui se trouve gravée en figures tantôt explicites et tantôt symboliques dans la dentelle de la pierre et de la lumière.

Émile Mâle, le plus grand historien de l'art médiéval, a pu écrire que le Moyen Age avait conçu l'art comme un véritable enseignement et que les cathédrales pouvaient être nommées la « Bible des pauvres ». On peut en effet y lire, dans la pierre des statues ou dans les couleurs des vitraux, « l'histoire du monde depuis sa création, les dogmes de la religion, les exemples des saints, la hiérarchie des vertus, la variété des sciences, des arts et des métiers ».

Trapues comme Bourges, élancées comme Strasbourg, imposantes et meurtries comme Reims, ciselées comme Rouen, construites sur un piton comme Laon, resserrées au cœur de la ville comme Quimper, éternellement inachevées, forteresses comme Albi, de pierre grise ou de grès rose, elles sont chaque fois confrontées à la légende et à l'histoire. Il semble que, du haut de leurs tours, on aperçoive au loin approcher les Barbares : Strasbourg et Rouen en surent la leçon. Albi baigna dans le sang, Auxerre dans la guerre de religion et Rouen vit brûler Jeanne d'Arc. Elles demeurent les plus beaux monuments élevés par la foi des hommes à la gloire de Dieu, *ad majorem gloriam Dei*. Certains noms de maîtres d'œuvre, d'architectes, de maîtres verriers, de sculpteurs nous sont parvenus. D'autre sont restés dans l'anonymat et dans l'oubli, effacés derrière la maîtrise d'un art qui était d'autant plus grand que plus modeste. De la simplicité romane à l'ornementation parfois excessive du gothique flamboyant, les cathédrales sont l'art vivant de l'Europe occidentale. En voici quelques-unes, voici leur histoire, leur beauté, leur mystère.

Albi

Petite ville à l'époque romaine, Albi était, dès le Vᵉ siècle, le siège d'un diocèse relevant de la métropole de Bourges. Au VIIIᵉ siècle, le chapitre de la cathédrale prit parti pour la réforme de Saint Chrodegang, organisateur de l'église franque. Né dans le Brabant vers 712, il fut chancelier sous Charles-Martel et évêque de Metz. Il mourut en 766. La ville devint alors le siège d'une seigneurie autonome, qui sera réunie deux siècles plus tard au comté de Toulouse. Saint Clair aurait été l'apôtre de cette région et la première église d'Albi aurait été dédiée à la Sainte Croix. Ce n'est qu'au Xᵉ siècle que le nom de Sainte Cécile apparaît, Sainte-Cécile, vierge et martyre, morte à Rome vers 232, sous le règne d'Alexandre Sévère. Durant toute la période du rattachement à Toulouse, Albi fut le théâtre de nombreuses querelles entre le pouvoir temporel des vicomtes et celui des évêques, jusqu'à la ruine définitive des Toulousains, à la fin de la guerre des Albigeois. C'est en 1249 qu'Albi fut rattachée à la France.

Dès la fin du XIIᵉ siècle, Guillaume Pierre aurait fait agrandir le cloître de l'église primitive. Mais c'est Bernard de Castanet qui va être le grand constructeur de la cathédrale de brique rouge, qui se dresse sur les bords du Tarn, comme une véritable forteresse. Né à Montpellier vers 1240, Bernard de Castanet fut évêque d'Albi de 1277 à 1308, puis du Puy, puis de Porto en 1316, avant d'être nommé cardinal et de mourir à Avignon en 1317. C'est lui qui décida de la construction du nouvel édifice, dont il posa la première pierre le 15 août 1282. Mais la nouvelle cathédrale ne remplaça pas aussitôt l'ancienne église qui subsista. Pendant vingt ans, le chapitre consacra à cette œuvre tous ses revenus. En 1306, le chœur était en partie construit et, l'année suivante, le pape Clément V accordait cent jours d'indulgences à tous ceux qui se consacreraient pendant dix ans à l'édification de la cathédrale. En 1317, le pape Jean XXII démembrait le diocèse au profit du siège de Castres. De nombreuses donations furent faites, notamment par l'évêque Béraud de Fargis. Vers la fin du XIVᵉ siècle, pendant l'invasion anglaise, on construisit le clocher, du moins les trois étages inférieurs et on peut dire que la cathédrale fut terminée dans les années 1390-1397 sous l'épiscopat de Guillaume de La Voûte. Le gros œuvre était achevé, mais de multiples modifications allaient encore y être apportées dans les décennies suivantes.

Prosper Mérimée, qui fut inspecteur général des monuments historiques, visita la cathédrale d'Albi en 1834 : « Sainte Cécile, la cathédrale d'Albi, est bâtie presque entièrement de briques. Sa construction a duré depuis la fin du XIIIᵉ siècle jusqu'après le XIVᵉ. De loin, ses murs épais, flanqués, de distance en distance, de contreforts semi-circulaires, sa tour dont la masse énorme s'élève à plus de cent pieds au-dessus de la nef, lui donnent l'aspect d'une forteresse. D'ailleurs, aucun ornement n'annonce une église, et à l'extérieur, la bizarrerie de sa forme n'est pas rachetée par son élégance. Elle n'a point de façade, et la tour dont j'ai parlé occupe toute la partie occidentale de la nef. L'entrée principale est au midi, et, comme l'église est bâtie sur une hauteur assez escarpée, le niveau de la rue de ce côté est de plus de trente pieds plus bas que le pavé de l'église. » Qu'est-ce qui poussa Bernard de Castanet à faire de cette cathédrale une forteresse? Sa situation d'Inquisiteur du Languedoc lui valait de nombreux ennemis. L'hérésie cathare avait été très cruellement réprimée et bien que le traité de Meaux eut mis fin, en 1229, à la croisade des Albigeois, l'évêque pouvait encore redouter les assauts de la population. Par ailleurs, la cathédrale devait se présenter comme un refuge contre les bandes de pillards et de massacreurs qui infestaient le pays.

Il faut gravir une cinquantaine de marches pour parvenir au niveau du sol inférieur de l'édifice. Des arcs gothiques, dus à Dominique de Florence (fin du XIVᵉ siècle) forment un porche à ciel ouvert. Mérimée, qui reconnaissait volontiers que l'on éprouvât le besoin de stationner quelques instants avant de pénétrer dans la cathédrale, s'étonnait de ce porche qui n'abrite ni du vent ni de la pluie ni du soleil. «Cette enceinte à jour, écrit-il, ces filigranes de pierre, avec leur incontestable élégance, me présentent l'apparence d'une ruine.» C'est la seule porte d'entrée dans la cathédrale. Pour respecter le testament de son oncle Louis Iᵉʳ, Louis II d'Amboise fit construire, entre 1520 et 1535 un baldaquin de pierre blanche.

La nef de la cathédrale est d'un seul tenant. C'est une vaste salle de cent mètres de longueur, de trente mètres dans sa plus grande largeur et de trente mètres de hauteur. Elle ne comporte ni collatéraux, ni transept, ni déambulatoire. Sa voûte est ornée de peintures qui se détachent sur fond d'azur et d'or. Elles datent du XVIᵉ siècle et illustrent l'Ancien et le Nouveau Testament, convergeant autour du Christ qui se trouve au-dessus du maître-autel, entouré d'Adam et d'Ève, du Lion et du Bœuf, des quatre grands docteurs de l'Église, Saint Ambroise, Saint Augustin, Saint Jérôme et Saint Grégoire, des douze apôtres, de la Vierge et de Saint Jean.

Les contreforts extérieurs se retrouvent à l'intérieur sous forme de hauts piliers entre lesquels sont situées les chapelles. Celles-ci s'élevaient jadis jusqu'à la hauteur de la voûte, mais, au XVᵉ siècle, elles furent dédoublées, la partie supérieure se transformant en tribunes avec balustrades de pierre. Malheureusement, les hautes et étroites fenêtres se trouvaient dans cette partie supérieure et il fallut en ouvrir d'autres pour éclairer ce qui était devenu les chapelles proprement dites. Comme celles de la voûte, les peintures des chapelles datent du début du XVIᵉ siècle et sont dues à des artistes italiens, de Bologne croit-on. On s'arrêtera surtout à la chapelle de Sainte Croix et à celle du Saint Sépulcre. Mais la plus belle peinture de la cathédrale est incontestablement le Jugement dernier, d'école française, qui date de la fin du XVᵉ siècle. Elle décore le mur occidental de l'église, mais la scène centrale, la scène même du Jugement, fut sacrifiée à la fin du XVIIᵉ siècle, lorsque le cardinal Charles de la Berchère fit creuser une vaste chapelle dédiée à Saint Clair, dont les excavations, heureusement, ne portèrent pas atteinte à la solidité de la cathédrale, comme on aurait pu le craindre. La mise en place des grandes orgues, au XVIIIᵉ siècle, acheva de détériorer cette fresque dont il ne reste aujourd'hui que les évocations du Paradis et de l'Enfer. Ces dernières sont particulièrement saisissantes de réalisme et d'horreur.

C'est le dimanche 23 avril 1480 que la cathédrale fut consacrée par Louis Iᵉʳ d'Amboise, nommé évêque d'Albi en 1473. Il était le frère du fameux cardinal Georges d'Amboise, tour à tour évêque de Montauban, puis archevêque de Narbonne et de Rouen et ministre de Louis XII.

Louis Ier d'Amboise dut abdiquer en 1502 et le fit en faveur de son neveu. Jusque là, le clocher de la cathédrale ne s'élevait pas plus haut que la toiture ; il était soutenu par quatre masses cylindriques allant s'amenuisant vers leur sommet et percées d'étroites meurtrières. Par testament, Louis Ier demanda que soit construite une tour qui abriterait les cloches, suffisamment haute pour être vue de partout. C'est ainsi que sur les trois premiers étages on en éleva trois autres, qui portèrent la hauteur totale à soixante-dix-huit mètres au-dessus du sol.

Sévère pour l'extérieur de la cathédrale, Mérimée n'a que des éloges à faire sur l'intérieur : «Au milieu du chœur, un jubé magnifique reproduit les formes gracieuses de l'enceinte de la plate-forme. La sculpture du XVe siècle y a épuisé tous ses délicieux caprices, toute sa patience, toute sa variété. On passerait des heures entières à considérer ces détails gracieux et toujours nouveaux, à se demander avec un étonnement sans cesse renaissant, comment on a pu trouver tant de formes élégantes sans les répéter, comment on a pu faire, avec une matière fragile, une pierre dure et cassante, ce que de nos jours on oserait à peine tenter avec du fer ou du bronze. — Je n'aime pas les jubés : ils rapetissent les églises ; ils me font l'effet d'un grand meuble dans une petite chambre. Pourtant, celui de Sainte Cécile est si élégant, si parfait de travail, que, tout entier à l'admiration, on repousse la critique, et que l'on a honte d'être raisonnable en présence de cette magnifique folie.» Le chœur, dans la moitié orientale de la cathédrale, semble lui aussi être dû à la générosité de Louis Ier d'Amboise : c'est dire qu'il daterait d'un peu avant 1500. Il est dû aux ateliers de Cluny. Le jubé, dentelle de pierre blanche, prend toute la largeur de la nef. C'est l'un des rares qui n'aient pas été détruits au cours des siècles. Deux escaliers desservent la tribune, par la droite et par la gauche ; au milieu, l'entrée du chœur qui a conservé ses admirables serrures ciselées. Dans la partie occidentale du chœur, cent vingt stalles de bois, réservées au haut et au bas chapitres, en deux rangées, sont ornées de gentilles sculptures de bois représentant des anges.

Au-delà de la chaire épiscopale en pierre s'ouvre comme un second chœur qui est gardé par les statues des empereurs Charlemagne et Constantin. Chaque travée de ce chœur est séparée par des statues de pierre peinte qui représentent les prophètes ; ils sont au pourtour du chœur. A l'intérieur, se trouvent la Vierge et les apôtres. La correspondance, de part et d'autre du pourtour, des statues des prophètes et des statues des apôtres est fort instructive. L'Ancien Testament et le Nouveau semblent se répondre. A l'extrême opposé de la statue de la Vierge, on voit Sainte Cécile qui tient dans sa main un orgue et la palme du martyr.

La cathédrale est aujourd'hui éclairée par de hautes fenêtres laissant entrer une lumière blanche. Il y avait pourtant autrefois des vitraux aux couleurs somptueuses. Quelques-uns ont été réparés au cours du XIXe siècle, notamment les verrières de l'abside, où l'on peut encore voir quelques fragments de l'art des verriers du XIVe siècle. Mais les vitraux des deux siècles suivants, du moins ce qui nous en est parvenu — entre autres une Résurrection de Lazare — montrent suffisamment qu'Albi, par ses verrières, ne le cédait en rien aux autres cathédrales.

Il nous reste à dire quelques mots des restaurations qui furent effectuées dans la cathédrale au siècle dernier. Temple de la Raison pendant la Révolution, de nombreuses statues du jubé furent abattues. De toute façon, la cathédrale se trouvait dans un assez piteux état. On confia, en 1843, à l'architecte César Daly, alors âgé de trente-deux ans, le soin d'étudier les restaurations possibles. Il étudia avec précision l'architecture du monument et établit un projet. La cathédrale se trouva alors isolée sur son escarpement rocheux, où elle continue de se dresser comme le plus pur joyau de l'architecture gothique du Midi de la France.

Page en regard :
*La nef de Sainte-Cécile d'Albi
est un immense et élégant
vaisseau, d'une extrême
simplicité, la brique dont on y fit
usage ne permettant pas une
décoration trop riche. Dépourvue
de bas-côtés, de transept et de
déambulatoire, elle est longue de
cent mètres; sa largeur et sa
hauteur sont semblables : trente
mètres. Elle comprend onze
travées voûtées d'ogives et les
contreforts extérieurs de la
cathédrale viennent y former de
hautes chapelles,
malheureusement défigurées au
XVᵉ siècle par des galeries
horizontales.*

ci-contre :
*Le chœur est l'œuvre des ateliers
bourguignons de Cluny.
On y admirera le jubé, l'un des
rares subsistant aujourd'hui dans
une église. Il s'étend dans toute la
largeur de la nef, comme une
broderie de dentelle.
D'un gothique moins tardif que le
baldaquin du porche d'entrée de
la cathédrale, il n'en est pas
moins d'une extraordinaire
richesse d'ornementation.
On raconte qu'en 1629, juché sur
une échelle, Richelieu voulut
s'assurer par lui-même que
feuillages et ciselures n'étaient
pas de plâtre peint, mais bel et
bien de bonne pierre tendre
durcie à l'air.
A l'intérieur du chœur, se trouve
la Vierge portant l'Enfant divin,
accompagnée par saint Jean,
saint Paul et les douze apôtres et
au revers de la clôture, se
trouvent également des statues de
saints. C'est ainsi que, derrière la
Vierge mère, le vieillard Siméon
symbolise la transition entre
l'Ancien et le Nouveau
Testament. Siméon était, selon
l'Evangile, un vieillard juste et
pieux à qui l'Esprit-Saint avait
révélé qu'il ne mourrait pas
avant d'avoir vu le Christ du
Seigneur.*

Ci-contre :
Sainte-Cécile d'Albi est une véritable cathédrale-forteresse. Des murs épais, flanqués de distance en distance, de contreforts semi-circulaires, une tour dont l'énorme masse s'élève de plus de trente mètres au-dessus de la nef contribuent à cette impression de château fort. Certes, la brique étant un matériau fragile, il fallut éviter les angles saillants qui se détériorent vite. Mais les circonstances politiques et historiques n'ont pas été sans influence. C'était le temps des Cathares et de la croisade des Albigeois. Tortures et massacres étaient monnaie courante. Et toute la contrée était infestée de bandes de malfaiteurs.
C'est l'évêque Bernard de Castenet, redoutable personnage, «inquisiteur de la foi dans son diocèse et vice-gérant de l'inquisiteur du royaume de France» qui donna à la cathédrale cet aspect quasi militaire, qui saisit le voyageur.

Ci-dessus et pages suivantes : *Sur les bords du Tarn, se dresse Albi la Rouge, dominée par l'énorme donjon de sa cathédrale, chef-d'œuvre du gothique méridional.*

Le 15 août 1282, entre dix et onze heures du matin, après avoir célébré la sainte messe, Bernard de Castenet posait la première pierre de la nouvelle cathédrale d'Albi, et ce n'est que le dimanche 23 avril 1480 que les croix de pierre furent appliquées, selon le rite, sur les parois intérieures de l'église, marquant ainsi sa consécration en présence des prélats de la région et du sénéchal de Toulouse.

Au cours des siècles, la cathédrale eut à subir l'épreuve la plus implacable : celle du temps. Au XIXe siècle, elle était suffisamment délabrée pour que l'on confiât à l'architecte César Daly, né à Verdun en 1811, le soin de la restaurer. En 1849, son projet fut mis en adjudication. Il y travailla trente ans, avec la minutie la plus parfaite. Il suréleva la toiture en ouvrant des combles au-dessus de la nef.

Il dut, pour cela, hausser les murs de plus de sept mètres et les décorer de clochetons qui seront supprimés à la fin du siècle. Il dégagea également les abords de la cathédrale en supprimant un certain nombre de bâtisses qui, au cours des siècles, étaient venues se grouper comme pour demander protection à Sainte-Cécile.

Alors isolée sur son escarpement rocheux, la cathédrale d'Albi retrouva pour toujours son imposante et terrifiante silhouette.

19

Amiens

Il existait, sur l'emplacement actuel de la cathédrale d'Amiens une église qui fut détruite par un incendie un peu avant 1220. De la quatrième croisade, en 1206, Wallon de Sarton, chanoine de Picquigny, avait rapporté le crâne, croit-on, de Saint Jean-Baptiste. Il fallait à une relique aussi exceptionnelle un habitacle digne d'elle. L'évêque Evrard de Fouilloy donna son accord pour qu'une nouvelle cathédrale soit édifiée, qui remplacerait la cathédrale romane, où s'était marié Philippe-Auguste et qui venait de brûler. Il fallut, pour cela, reporter de plus de deux cents mètres vers l'Est les remparts de la ville. Des siècles plus tard, John Ruskin écrira : «Je n'ai jamais été capable de décider quelle était vraiment la meilleure manière d'aborder la cathédrale pour la première fois. Si vous avez plein loisir et que le jour soit beau, le mieux serait de descendre la rue principale de la vieille ville, traverser la rivière et passer tout à fait en dehors vers la colline calcaire sur laquelle s'élève la citadelle. De là vous comprendrez la hauteur réelle des tours et de combien elles s'élèvent au-dessus du reste de la ville.»

Il fallut moins de vingt ans pour construire la nef, sur les plans de Robert de Luzarches, maître d'œuvre. L'évêque Evrard posa lui-même la première pierre. Par la suite, Thomas de Cormont, puis son fils Renaud poursuivirent les travaux. La façade occidentale fut édifiée, puis on commença le transept ; mais les travaux durent être interrompus, de 1240 à 1258, par manque d'argent. En 1269, à la fin du règne de Saint Louis, la cathédrale était pratiquement achevée. Entre 1290 et 1375, on construisit, dans la nef, les chapelles latérales et, les deux tours de la façade occidentale seront terminées au XVe siècle. Joris-Karl Huysmans a bien évoqué leur dissymétrie : «Les deux tours d'Amiens, bâties chacune à des époques différentes comme celles des cathédrales de Rouen et de Bourges ne concordent pas entre elles. De hauteur inégale, elles boîtent dans le ciel.» La flèche pyramidale fut élevée en 1533 à la croisée du transept en remplacement du clocher détruit par la foudre en 1528.

La cathédrale d'Amiens est la plus vaste cathédrale gothique d'Europe. Sa superficie extérieure est de sept mille sept cents mètres carrés, sa longueur de cent quarante-cinq mètres, sa largeur au transept de soixante-dix mètres. Après celles de Beauvais (quarante-huit mètres) et de Cologne (quarante-cinq mètres), sa nef est la plus haute : quarante-deux mètres.

La façade principale, tournée vers l'occident et terminée vers 1365, est un magnifique exemple de la statuaire de l'époque. Notons au passage que la sculpture des trois portails respecte les règles religieuses : au centre, le Jugement dernier, avec le Christ et les Apôtres ; à droite, la Vierge ; à gauche, les principaux saints et évêques du diocèse. On peut diviser la façade en cinq parties : un rez-de-chaussée à trois portails en avant-corps, une galerie qui, à l'intérieur, fait le tour de la cathédrale, la galerie des Rois avec ses vingt-deux statues, la grande rosace et l'étage supérieur, ou galerie des Sonneurs, qui relie le haut des tours et qui date du XVᵉ siècle. Le portail du centre est donc celui du Sauveur ; il est orné d'une statue du Christ bénissant, connue sous le nom de «Beau Dieu d'Amiens». C'est l'un des chefs-d'œuvre de la sculpture gothique. Il date du XIIIᵉ siècle. Le Christ a les yeux tournés vers le ciel ; sa main droite bénit ; sa main gauche tient le Livre des Lois. Il foule aux pieds le lion et le dragon, l'aspic et le basilic, symboles de la mort et du péché. A droite et à gauche du Beau Dieu, on trouve six apôtres, graves et dignes, et, côté extérieur, deux grands prophètes : à droite, Isaïe et Jérémie ; à gauche, Ézéchiel et David. Au-dessous des statues des apôtres, la guirlande des Vertus menant au Paradis et des Vices menant en Enfer. Le porche du Sauveur est surmonté d'un admirable tympan où sont représentés la Résurrection des Morts, la Séparation des Élus, le Souverain Juge, assis entre la Vierge et Saint Jean, à genoux, cependant que des Anges portent la Croix, et, dans le triangle supérieur, le Christ : il est accompagné de deux anges tenant le Soleil et la lune. C'est le Jugement dernier : Saint Michel pèse les âmes ; les élus se dirigent vers la porte du Ciel ouverte par Saint Pierre et les damnés, nus, sont poussés vers l'Enfer.

Le portail de gauche est consacré à Saint Firmin, premier évêque d'Amiens, né à Pampelune en Espagne et martyrisé à Amiens. Son bras était, pour Marcel Proust, «la plus haute affirmation de la foi et de l'énergie». Il est entouré de douze statues de saints évêques du diocèse d'Amiens, parmi lesquels on reconnaîtra Saint Ache et Saint Acheul, martyrisés en 303, tenant leur tête dans leurs mains. Sous ces statues sont représentés les douze signes du zodiaque et les travaux qui y correspondent : abattage des porcs, travaux de la vigne, fenaison, moisson, cueillette des fruits, vendanges, semailles, etc. C'est ce qu'on appelle le «calendrier».

Le portail de droite est dit «de la Mère Dieu» : debout, la Vierge porte l'Enfant et foule aux pieds Satan. Il est consacré à la mort et à l'ensevelissement de Marie, mais on peut y voir aussi l'histoire d'Adam et Ève, les Rois Mages, la Fuite en Égypte, le Massacre des Innocents, Salomon et la reine de Saba. Le tympan montre six personnages de l'Ancien Testament, parmi lesquels Moïse et Aaron, la mort de la Vierge, son assomption et son couronnement. C'est le portail qu'on a appelé la «Bible d'Amiens», à laquelle Ruskin a consacré un ouvrage célèbre. Au-dessus des trois portails, se trouvent deux galeries, dont l'une contient vingt-deux statues de rois de France : elles ont quatre mètres de hauteur. Plus haut, la grande rosace, surmontée d'une corniche. Tout cet ensemble fut terminé au XIIIᵉ siècle. La galerie qui réunit les deux tours, dite galerie des Sonneurs, fut restaurée par Viollet-le-Duc, qui, de 1849 à 1874, assura la restauration de l'ensemble de la cathédrale.

La façade latérale nord présente trois groupes de trois statues datant de la fin du XIVᵉ siècle. On y reconnaît entre autres la Vierge Marie, Charles V, le dauphin Charles VI, Saint Firmin et le cardinal de La Grange qui prit une part importante à l'achèvement de la cathédrale. Puis, nous voyons Saint Louis en costume royal et l'évêque Guillaume de Mâcon. Le portail est orné d'une statue de Saint Honoré, évêque d'Amiens dans la seconde moitié du VIᵉ siècle et patron des boulangers. Sur l'autre façade latérale, contre la tour sud, le portail dit «de l'Horloge» nous montre une monumentale statue de Saint Christophe portant l'Enfant Jésus sur ses épaules. Ici encore, il est impossible de citer toutes les statues. Notons celle de Saint Nicolas avec trois petits enfants dans le saloir et, au milieu, deux marchands de «waide», plante dont se servaient les teinturiers pour teindre les étoffes en bleu. Ce sont d'ailleurs les cultivateurs de waide qui ont offert, à l'intérieur de la cathédrale, la

C'est Marcel Proust, qui a écrit, à propos de la cathédrale d'Amiens: «Vous ressentez, devant sa façade occidentale, éblouissante au matin, grassement dorée l'après-midi, rose et déjà fraîchement nocturne au couchant, une impression confuse mais forte, vous sentez que c'est une grande chose que cette ascension géante, immobile et passionnée».

Chef-d'œuvre de l'architecture picarde, Notre-Dame d'Amiens est aussi la plus vaste cathédrale de France : 145 mètres de longueur, 7 700 m² de superficie !

C'est à la demande d'une jeune gouvernante anglaise que John Ruskin écrivit La Bible d'Amiens, *ouvrage magnifiquement traduit par Proust. Ruskin comprit que les grandes cathédrales étaient des bibles de pierre conçues pour l'instruction des fidèles, des bibles des pauvres. On peut y lire, en effet, dans la pierre des statues ou les couleurs des vitraux, l'histoire du monde, les dogmes de la religion, les exemples des saints, la diversité des sciences, des arts et des métiers.*

Notre-Dame d'Amiens fut construite entre 1220 et 1269, au cours de ce XIIIᵉ siècle, qui vit l'apogée de l'art gothique, c'est-à-dire beaucoup plus rapidement que toutes les autres cathédrales : d'où sa parfaite homogénéité.

Sa façade occidentale est un magnifique livre de sculpture. Le portail du centre est celui du Sauveur. Il représente le Jugement dernier, avec le Christ et les apôtres. A droite, la Vierge : c'est le portail de la «Mère Dieu». A gauche, les principaux saints et évêques du diocèse, parmi lesquels saint Firmin, premier évêque d'Amiens.

chapelle correspondant au portail.

C'est sur la façade du croisillon sud que se trouve le porche dit «de la Vierge dorée» : il fut achevé dans les années 1260-1270. La statue fut exécutée vers 1288; on l'attribue à un maître sculpteur de Reims. Elle était, à l'origine, effectivement peinte et dorée. Elle sourit et trois angelots soutiennent le nimbe derrière sa tête. Ruskin a parlé de son «gai sourire de soubrette» et c'est par le transept sud, celui de la Vierge dorée qu'il conseille de pénétrer dans la cathédrale, afin de mieux saisir l'extraordinaire élan de la nef. Quant à Proust, il écrivait à propos de cette statue : «Une telle statue a peut-être quelque chose de moins universel qu'une œuvre d'art ; elle nous retient en tout cas par un lien plus fort que celui de l'œuvre d'art elle-même, un de ces liens comme en ont, pour nous garder, les personnes et les pays.»

La flèche de bois, recouverte de plomb, s'élève à cent douze mètres de hauteur, au-dessus de la croisée du transept. Elle date du XVIᵉ siècle et présente, à mi-hauteur, huit grandes statues.

Grâce aux hautes fenêtres de la claire-voie, la cathédrale d'Amiens est particulièrement claire. Dans la grande nef à trois étages, les tombeaux en bronze de l'évêque Evrard de Fouilloy et de son successeur Geoffroy d'Eu. La chaire date de 1773. Dans le transept sud, des sculptures polychromes du début du XVIᵉ siècle relatent l'histoire du mage Hermogène et de son élève Philetus, convertis par Saint Jacques le Majeur. On verra aussi huit tables de marbre noir ornées de bas-reliefs qui relatent des scènes de la vie de la Vierge. A la croisée du transept, en levant les yeux, on peut admirer les grandes orgues placées dans une tribune du XVᵉ siècle et surtout la hauteur de la voûte centrale. Le jubé fut démoli en 1755 et remplacé en 1761 par la grille d'entrée du chœur, chef-d'œuvre de ferronnerie, qui abrite les célèbres stalles, soixante-deux stalles hautes et quarante-huit stalles basses, exécutées entre 1508 et 1519 aux frais du doyen Adrien de Hénencourt. Les deux plus hautes étaient réservées au roi et au doyen du chapitre. Les admirables sculptures en bois illustrent des scènes de l'Ancien Testament et de la vie de la Vierge. Malheureusement, la décoration du sanctuaire, qui date du règne de Louis XV, jure quelque peu avec la sobriété de l'ensemble.

Dans le déambulatoire, on remarquera une série de reliefs polychromes relatant l'histoire de Saint Firmin : elles datent du début du XVIᵉ siècle. Après avoir dépassé la chapelle de Notre-Dame, où se trouvent les tombes de l'évêque Simon de Gonçans et du chanoine Thomas de Savoie, on trouvera huit niches faisant symétrie avec celles de Saint Firmin et relatant la vie de Saint Jean-Baptiste. Face à la chapelle absidiale, derrière le maître-autel, se trouve le monument funéraire du chanoine Ghislain Lucas, avec la statue de l'Ange pleurant due à Nicolas Blasset, né et mort à Amiens (1600-1659). Tout à côté, le splendide gisant de marbre blanc du cardinal de La Grange, mort en 1402.

Les vitraux d'origine ne sont plus très nombreux dans la cathédrale d'Amiens : ne subsistent que les trois rosaces, sur la façade principale et aux extrémités du transept. La première fut garnie au XVIᵉ siècle par un remplage flamboyant. On appelle remplage l'ensemble des pierres ajourées garnissant la partie supérieure d'une fenêtre à meneaux à l'époque gothique. On voit ici, sculptée dans la pierre, une roue de la Fortune : une procession de gens riches monte vers le sommet du cercle pour en descendre sous l'aspect de mendiants. La rosace sud, très abîmée, date de la fin du XVᵉ siècle. La rosace nord a conservé ses vitraux du XIVᵉ siècle. Dans le chœur et dans certaines chapelles ont subsisté des vitraux du XIIIᵉ siècle, parmi lesquels il faut citer ceux du transept nord relatant l'histoire de Saint Édouard et de Saint Edmond, rois d'Angleterre.

Ci-contre :

Les sculptures du pourtour du chœur évoquent l'histoire de saint Firmin et celle de saint Jean Baptiste.

La première série est composée de huit groupes de personnages taillés dans la pierre et polychromés.

L'ensemble date des dernières années du XVe siècle. C'est toute la vie de Saint Firmin, gravée dans la pierre, qui se déroule sous nos yeux, de l'arrivée du saint à Amiens jusqu'à son martyre et à la translation de ses restes.

Symétriquement disposée, l'histoire de saint Jean Baptiste comprend également huit niches sculptées vers 1530.

Ci-dessus :

Certains détails des stalles du chœur sont tout particulièrement admirables, que ce soient des évocations de la vie de la Vierge : Nativité et fiançailles de la Vierge, la Fuite en Egypte, la Vierge aux emblèmes, ou encore un merveilleux ange apportant à Marie de la nourriture, ou que ce soient tout simplement des scènes de la vie quotidienne : un apothicaire et son mortier, l'imagier Jehan Turpin ou de petits personnages en train de boire, qui ornent aussi bien les rampes que les accoudoirs. C'est un incomparable livre d'images où les huchiers ont su exprimer leur foi et leur humour.

Le portail central de la cathédrale d'Amiens, ou portail du Sauveur, est orné au trumeau d'une statue du Christ bénissant, connue sous le nom de «Beau Dieu d'Amiens» et l'un des chefs-d'œuvre de la sculpture religieuse du XIIIᵉ siècle. Le Christ a les yeux tournés vers le Ciel; sa main droite bénit; sa main gauche tient le Livre des Lois. C'est d'une incomparable sérénité.

Ci-contre et page en regard :
La rosace sud, très abîmée et très remaniée, date de la fin du XVᵉ siècle.
Autour du cintre supérieur, on peut voir une roue de la Fortune, dont les personnages grimpent vers le sommet pour redescendre ensuite.
La roue tourne, dit la sagesse des nations! Les stalles, le plus bel ensemble de sculptures sur bois existant en France, occupent trois côtés du chœur. Elles sont au nombre de cent dix : soixante-deux stalles hautes et quarante-huit stalles basses, et furent sculptées entre 1508 et 1520, aux frais d'Adrien de Hénencourt.

Angoulême

Civitas ecolismensium, «la ville sur le rocher», ainsi appelait-on Angoulême à l'époque où Saint Ausone en fut le premier évêque, au IIIᵉ siècle. Stendhal, en 1838, écrivait : «La ville est située... sur le sommet d'une colline en pain de sucre, de façon que, de l'extrémité occidentale de la promenade composée d'assez beaux arbres, la vue plonge sur une belle vallée et remonte ensuite jusqu'aux jolies collines placées en amphithéâtre de l'autre côté de la vallée et parallèles, ce me semble, à celle sur laquelle Angoulême est restée.» Et Balzac, à son tour, dans *Illusions perdues* : «Angoulême est une vieille ville, bâtie au sommet d'une robe en pain de sucre qui domine les prairies où se roule la Charente.» Une première église, dédiée à Saint Pierre, fut construite et détruite par les Wisigoths, quelques années plus tard. Au VIᵉ siècle, Clovis aurait fait rebâtir un autre édifice, qui fut anéanti par un incendie lors du passage des Normands. Au XIᵉ siècle, fut édifiée une grande église abbatiale, à l'endroit même où Saint Cybard, originaire de Périgueux, avait vécu une existence de solitaire, jusqu'à sa mort en 981. En 1015, l'archevêque de Bordeaux, Seguin, consacrait une troisième église. Mais c'est à Girard II, nommé évêque en 1101 et légat du pape, qu'allait revenir l'honneur de construire une quatrième église, dont les travaux, financés par le chanoine Itier Archambaud, commencèrent en 1110 et qui fut consacrée en 1128. C'est l'actuelle cathédrale Saint-Pierre. Dans l'écoinçon formé par les deux grandes arcades sud de la façade, on remarquera les lettres G et I, symbolisant les prénoms des deux maîtres d'œuvre.

Un nom est demeuré attaché à la cathédrale d'Angoulême : celui de l'architecte Paul Abadie, qui dessina les plans du Sacré-Cœur de Montmartre et qui, en 1875, restaura la coupole centrale de Saint-Pierre d'Angoulême, lui conférant un aspect byzantin qui jure avec le style roman de l'édifice. Il encombra quelque peu la façade, notamment avec les statues équestres de Saint Martin et de Saint Georges et édifia à chaque extrémité deux clochetons. Cette façade plate, avec ses soixante-quinze statues, est néanmoins tout à fait digne d'intérêt. Elle est d'une étonnante richesse. Les sculpteurs y ont retracé la destinée humaine. Il semble que les travaux aient commencé par le rez-de-chaussée pour se terminer aux étages supérieurs. Les différences de style en font foi. En bas, aux linteaux des arcades aveugles, à gauche de l'entrée, une frise sculptée représente deux groupes de chevaux ailés — ce qui est exceptionnel — et une autre un combat de cavaliers. Deux thèmes : celui de l'Ascension et celui du Jugement dernier, qui, le plus souvent, ornaient seulement les tympans des portails, se trouvent réunis. Au-dessus de la haute fenêtre centrale, nous voyons le Christ en majesté, entouré des quatre symboles évangéliques : le jeune homme, le lion, le taureau et l'aigle. Le thème du Jugement est représenté par des anges et des saints, dans des médaillons aux voussures du grand arc : ils se tournent vers le Sauveur, tandis que sous les arcades latérales, les réprouvés sont déjà la proie du Diable. Émile Mâle voyait dans la façade d'Angoulême un double-sens, une énigme : «Près de l'auréole du Christ sont incrustés quatre bas-reliefs représentant les animaux évangéliques; plus bas, à droite et à gauche, des coupables semblent expier leurs crimes dans les tortures de l'Enfer. Enfin, des bienheureux, à ce qu'il semble, sont enfermés dans des médaillons circulaires disposés dans le voisinage du Christ... Ce Christ qui, tout à l'heure, nous paraissait monter au ciel, nous semble maintenant en descendre, dans l'appareil du Christ de l'Apocalypse, pour juger les hommes.» Or, la doctrine répandue au Moyen Age affirmait bien que Jésus viendra juger les hommes sous l'aspect qu'il avait quand il monta au ciel. C'est pourquoi, à Angoulême, l'Ascension s'achève en Jugement dernier. Dans les fausses portes décorant la façade des deux côtés du portail central, on peut voir dans chaque tympan trois apôtres, parmi lesquels Saint Pierre, les clefs à la main : ils vont diffuser l'Évangile sur la terre.

La tour-clocher septentrionale, avec ses six étages en retrait les uns sur les autres, fut restaurée par Abadie. Elle est haute de cinquante-neuf mètres. Elle avait pour pendant au transept méridional, une autre tour, un peu plus élevée, qui fut abattue en 1568 par les amis de Coligny. Il n'en subsista que la base qui fut transformée en sacristie au XVIII⁰ siècle. C'est aujourd'hui une chapelle.

C'est par la travée ouest que commença la construction de la nef, probablement inspirée par celle de Saint-Étienne de la Cité, à Périgueux : mêmes gros piliers aux angles et galeries de circulation aux faces latérales. Mais Abadie a dénaturé la noble allure de cette travée en ajoutant des colonnes aux chapiteaux surchargés et des colonnettes aux fenêtres qui n'en avaient pas. Au nord de la travée, il supprima la chapelle de la Trinité, qui datait du XV⁰ siècle. Mais déjà, quelques années avant la Révolution, l'installation des grandes orgues avait obstrué la fenêtre centrale, ne permettant plus à la lumière de pénétrer. Les autres travées, couvertes de coupoles sur pendentifs, ne sont pas sans rappeler l'intérieur de l'ancienne église abbatiale de Souillac dans le département voisin. Les piliers sont ici considérablement réduits et l'ensemble acquiert une plus grande légèreté. Le triforium n'a pas été modifié, mais Abadie a supprimé les grandes baies gothiques aménagées au XIV⁰ siècle pour refaire les fenêtres du mur méridional.

La coupole centrale, reconstruite en 1875, est plus grande que l'ancienne. Elle s'élève à la croisée du transept et donne un éclairage tout différent de celui que donnaient les deux tours-clochers dressées aux extrémités des croisillons. La partie septentrionale du transept est de loin la plus intéressante. La base de la tour-clocher est constituée de fortes colonnes appuyées à des arcades sous lesquelles s'ouvrent de larges baies. La sculpture des chapiteaux et des frises y est d'une exceptionnelle richesse. La nef se prolonge par le chœur et l'abside tout à fait naturellement. Baies et absidioles s'y succèdent, toutes — à l'exception d'une seule, au nord-est — remaniées par Abadie. Aux colonnettes de la baie centrale, les chapiteaux pré-romans proviennent de la cathédrale construite par Grimoard de Mussidan, qui précéda immédiatement celle de Girard II.

Construite au XII⁰ siècle, mutilée au XVI⁰ siècle, remaniée au XIX⁰ siècle, Saint-Pierre d'Angoulême n'en a pas moins conservé une rare unité. C'est l'un des plus magnifiques monuments de ces provinces de l'Ouest au climat doux et mouillé.

Pages suivantes :
Commencée vers 1110 et consacrée en 1128, Saint-Pierre d'Angoulême est en grande partie l'œuvre de l'évêque Girard II, éminent professeur de philosophie et de théologie. Il mourut pourtant en état de schisme, et son successeur, Geoffroy de Chartres, refusa de le faire inhumer dans sa cathédrale! Par la suite, l'architecte dont le nom demeure intimement lié à Saint-Pierre d'Angoulême, fut Paul Abadie (1812-1884) architecte du Sacré-Cœur de Montmartre. Les experts ont toujours été envers lui d'une grande sévérité. L'un d'eux écrit : «Comment ne pas déplorer la désinvolture avec laquelle cet architecte exhaussa la façade? Ses regrettables innovations, qui consistèrent à monter un pignon au centre et à élever des clochetons sur les côtés l'altérèrent gravement». En fait, la façade elle-même fut assez peu touchée : Abadie y ajouta deux statues équestres de saint-Georges et de saint-Martin. Mais cette façade est un véritable livre gravé dans la pierre. La destinée humaine y est retracée : cette évocation était d'habitude plutôt réservée aux sculptures des portails. Avec ses soixante-quinze statues, la façade occidentale de Saint-Pierre d'Angoulême est d'une richesse prodigieuse. Deux thèmes sont réunis : celui de l'Ascension et celui du Jugement dernier. Au-dessus de la haute fenêtre centrale, trône le Christ en majesté, c'est-à-dire de face, entouré des quatre symboles évangéliques : le jeune homme, le lion, le taureau et l'aigle. Le thème du Jugement est représenté par des anges et des saints aux visages bienheureux, tandis que, tout près, les réprouvés sont déjà la proie du Diable. L'Ascension s'achève en Jugement dernier.

Ci-dessus :
Yvan Christ a écrit : «Construite au début du XIIe siècle, la cathédrale d'Angoulême a subi au XIXe siècle, de la part d'Abadie, une restauration massive et arbitraire qui demeure injustifiable».
Au départ, il y avait là une remarquable homogénéité architecturale.
Bien sûr, Saint-Pierre d'Angoulême avait subi, au cours des siècles, quelques mutilations : c'est ainsi que, lors des guerres de religion, Coligny avait fait abattre un clocher. Seul, le clocher septentrional subsista, entièrement reconstruit par Abadie.

Page en regard
et pages suivantes :
Il n'existe qu'un portail d'entrée à Saint-Pierre d'Angoulême. Dans les fausses portes qui l'encadrent, on peut voir à chaque tympan trois apôtres, parmi lesquels saint Pierre, les clefs à la main : ils vont diffuser l'Evangile sur la terre.
Aux linteaux des façades aveugles et de part et d'autre du portail central, deux frises attirent l'attention : à gauche, un affrontement de chevaux ailés. A droite, un combat de cavaliers. On a pu y voir un épisode de la Chanson de Roland. Mais il ne faut pas oublier que nous sommes en Angoûmois, non loin de

Poitiers. En 720, les Arabes avaient passé les Pyrénées et c'est en 732 que Charles-Martel vainquit les troupes d'Abd-er-Rhamân, marquant à la fois le début de l'évacuation totale de la Gaule par les Musulmans et la première défaite de l'Islam devant la civilisation chrétienne.
En 1121, Alphonse Ier, dit le Batailleur, roi d'Aragon et de Navarre, s'empara de Daroca, ville de la province de Saragosse et, par la victoire de Cutanda, remportée sur les Maures, libérait définitivement la Chrétienté du joug musulman. Ce sont ces événements que retracent les frises de la façade.

Auxerre

Saint-Étienne d'Auxerre est sans aucun doute le plus pur édifice gothique de la Bourgogne. Dès le Vᵉ siècle, Saint Amâtre avait édifié une première église. Né à Auxerre vers 380, Saint Germain, après des études à Rome, revint dans sa ville natale comme comte impérial. Le siège épiscopal de la ville étant devenu vacant en 418, le peuple et le clergé l'élurent évêque : il devint le saint protecteur d'Auxerre. La première église fut détruite par un incendie et Hérifrid en fit bâtir une seconde, que Gui, évêque d'Auxerre en 933, fit agrandir. En 949, elle fut à son tour ravagée par un incendie. Une troisième église fut alors construite, qui disparut lors de l'incendie de la ville en 1023 : il en demeure quelques vestiges dans la crypte. Puis, Hugues de Châlon entreprit l'édification d'une cathédrale romane ; les travaux s'échelonnèrent de 1040 à 1114. La peinture du Christ à cheval, que l'on peut voir aujourd'hui dans la crypte, remonte à cette époque. Nommé évêque d'Auxerre en 1207, Guillaume de Seignelay fit construire, à partir de 1215, une nouvelle cathédrale, mais, nommé à Paris, cinq ans plus tard, il confia la poursuite des travaux à son successeur Henri de Villeneuve. On conserva la crypte de la cathédrale romane et on commença par bâtir le chœur et la tour méridionale du nouvel édifice qui fut dédié à Saint Étienne, diacre et premier martyr, lapidé en l'an 36 par les Juifs après s'être écrié : «Je vois les cieux ouverts et le Fils de l'homme debout à la droite de la majesté de Dieu.» A la mort de Guillaume de Seignelay, en 1223, le chœur n'était pas encore achevé. La nef ne fut commencée qu'en 1309 et la consécration de la cathédrale eut lieu en 1335. La construction de Saint Étienne d'Auxerre dura jusqu'au XVIᵉ siècle. On peut en résumer les étapes ainsi : du XIᵉ siècle date la crypte ; du XIIᵉ la sacristie qui se trouve au nord du déambulatoire ; du XIIIᵉ le chœur, les parties inférieures des tours nord et sud. Du XIVᵉ siècle, datent la nef centrale, la façade, le portail méridional et les collatéraux ; du XVᵉ, le portail nord et les voûtes de la nef centrale ; du XVIᵉ le haut de la tour nord et le sommet de la façade : la tour sud ne fut jamais terminée. Du XVIᵉ siècle également, dataient le jubé, qui fut détruit pendant la Révolution, et un grand nombre de statues aujourd'hui disparues. En septembre 1567, les Protestants dévastèrent la cathédrale. C'est à Jacques Amyot, nommé évêque d'Auxerre par Charles IX en 1570 et illustre traducteur de Plutarque que revint le triste privilège de réparer la fureur iconoclaste des Calvinistes, qui mutilèrent les statues et les bas-reliefs des portails, brisèrent les vitraux et s'emparèrent des objets précieux.

La façade s'ouvre par trois portails correspondant aux trois nefs. Le portail central présente des thèmes fréquents dans la statuaire des XIIIᵉ et XIVᵉ siècles. Au tympan, le Jugement dernier, avec à droite la Résurrection des morts et à gauche le pèsement des âmes ; au-dessus, le Christ assis, entre la Vierge et saint Jean. Sur les piédroits, la parabole des Vierges sages et des Vierges folles tenant leurs lampes renversées. Aux voussures, des scènes tirées de la vie des Apôtres et sur les soubassements l'histoire de Joseph et la parabole de l'Enfant prodigue, ce qui est très rare. On peut aussi voir dans cette partie du portail, un Eros nu, un Hercule et un Satyre, toutes figures païennes ! Le portail de droite est en grande partie consacré aux amours de David et de Bethsabé et, au-dessus, des statues de femmes figurant les arts libéraux : la Grammaire, la Rhétorique, la Dialectique, l'Arithmétique, la Géométrie, l'Astronomie, la Musique et la Philosophie. Au tympan, des scènes de la vie du Christ et la mort de Saint Jean Baptiste. A droite du portail, le Jugement de Salomon. Le portail de gauche est plus particulièrement consacré à la Genèse et au Paradis terrestre : on y voit Adam cueillant le fruit défendu et Adam et Eve chassés du Paradis. Au linteau, le Couronnement de la Vierge par le Christ. Deux panneaux sont également consacrés à l'arche de Noé. Des deux portails latéraux, celui du Nord et celui du Sud, c'est le premier qui est le moins intéressant : daté du XVᵉ siècle, il est consacré à la vie de Saint Germain d'Auxerre. En revanche, le portail méridional, dédié à Saint Etienne, est beaucoup plus riche. Il fut sculpté au XIVᵉ siècle. Au sommet du tympan, Abraham reçoit Saint Etienne dans son sein. Des personnages de l'ancien Testament, des anges aux ailes déployées, tant au linteau qu'aux voussures, décorent ce portail de façon charmante.

Seule, la tour Nord, nous l'avons vu, fut construite : elle s'élève à soixante-huit mètres de hauteur. De nombreuses niches avaient été prévues, mais elles n'ont guère été ornées de statues. Au-dessus du portail central, la grande rosace mesure sept mètres de diamètre. Elle date du XVIᵉ siècle et représente un concert céleste autour de Dieu le Père, avec dix séraphins et une quarantaine d'anges musiciens. Elle est surmontée d'un fronton triangulaire décoré d'une rose plus petite. La rosace du portail méridional, qui est de même époque, montre le Père céleste et relate l'histoire de Moïse ; celle du portail septentrional est la rosace de l'Immaculée Conception : la Vierge y est entourée d'anges. Emile Mâle a pu la comparer à une pensée «jamais encore exprimée».

L'intérieur de Saint Etienne d'Auxerre frappe par son élégance : cent mètres de longueur, une largeur au transept de trente-neuf mètres et une hauteur de trente-quatre mètres sous voûte principale. La nef à six travées flanquée de collatéraux simples et de chapelles, construite au XIVᵉ siècle, peut donner l'impression d'une certaine lourdeur, due au triforium à balustrades. Celui-ci est infiniment plus léger du côté du chœur où ses minces colonnettes sont surmontées d'un second passage de circulation. Clos par une grille en fer forgé qui, comme le grand autel, date du règne de Louis XV, le chœur, du XIIIᵉ siècle, est incontestablement la plus belle partie de la cathédrale. Il est constitué de quatre travées droites et d'un sanctuaire en forme de rond-point entouré de six colonnes arrondies surmontées d'admirables chapiteaux à feuillages. C'est ici que se trouve le monument de Jacques Amyot. Né à Melun, de parents pauvres, en 1513, il est surtout connu pour sa traduction en français des *Vies des hommes illustres* de Plutarque. Précepteur des enfants de France, Henri III et Charles IX, il fut nommé évêque d'Auxerre et son attitude pacifiste pendant les guerres de religion lui valut l'excommunication. On lui doit aussi la restauration des stalles du chœur.

La chapelle absidiale est particulièrement intéressante, avec ses deux colonnes isolées à l'entrée. Au mur du fond, trois travées font comme un décor de pierre pour la célèbre Vierge d'Auxerre. Sculptée pendant la Renaissance, elle échappa à la Révolution, et fut découverte sous les décombres. Elle appuie un livre sur son cœur et lève la main droite et sa robe se gonfle autour d'elle. Avec ses quinze travées, dont la quatrième, côté nord, ouvre sur la sacristie, le déambulatoire date du

Les verrières d'Auxerre sont, avec celles de Chartres et de Bourges, parmi les plus admirables chefs-d'œuvre de l'art du vitrail en France.

Les plus belles datent du XIIIᵉ siècle : ce sont les trente-deux lancettes du déambulatoire. Souvent déplacées et reposées, elles racontent des scènes de la Bible ou illustrent des vies de saints.

Parmi les plus beaux vitraux, celui de saint Pierre et saint Paul.

Aux fenêtres latérales de la chapelle absidiale, de belles grisailles nous montrent la Vierge assise tenant l'Enfant Jésus et saint Étienne. Puis, dans l'allée sud du déambulatoire, d'autres vies de saints.

Quelle richesse de couleurs! Quel scintillement de feuillages, de robes! Les vitraux des hautes fenêtres de la nef sont plus tardifs : XVIᵉ siècle; ils représentent des saints, des évêques et des rois. Ceux du chœur remontent au XIIIᵉ siècle, mais ils furent assez mal restaurés par la suite.

Réalisée au XVIᵉ siècle, la grande rosace de la façade occidentale représente un concert céleste, où vingt anges jouent d'instruments divers aux pieds de Dieu le Père. Quant à la rosace du portail nord, rosace de l'Immaculée Conception, datant également du XVIᵉ siècle, personne, mieux qu'Emile Mâle, le plus grand historien de l'art médiéval, n'a su parler de sa Vierge centrale : «C'est une toute jeune fille, presque encore une enfant; ses longs cheveux couvrent ses épaules... Elle flotte comme une pensée qui n'a jamais été exprimée, car elle n'est encore qu'une idée dans l'intelligence divine».

XIIIᵉ siècle. Parmi les têtes décorant les sommiers des arcs du soubassement se trouve celle de la Sibylle, échevelée, à propos de laquelle Barrès a écrit de fort belles pages dans *Le Mystère en pleine lumière*. Au-dessus de sa tête, gravée dans la pierre, l'inscription latine : sibilla. Dans la dernière chapelle du bas-côté nord, on pourra voir le tombeau de Saint Vigile, évêque d'Auxerre au VIIᵉ siècle.

Mais la cathédrale d'Auxerre vaut aussi par ses vitraux. Ceux des hautes fenêtres de la nef représentent des saints, des évêques et des rois et datent, pour la plupart, du XVIᵉ siècle. Les bleus, les rouges, les verts et les jaunes y sont d'une somptueuse beauté. Mais les plus belles verrières sont celles du chœur et celles du déambulatoire. Les premières sont l'œuvre de maître-verriers du XIIIᵉ siècle et datent de l'épiscopat d'Henri de Villeneuve (1220-1234). Elles furent restaurées par la suite. On y voit des prophètes, des saints et des apôtres. Celles du déambulatoire, trente-deux lancettes, déplacées et reposées à plusieurs reprises, illustrent des scènes de la Bible, la création de la Terre, l'arche de Noé, la Genèse et l'exode, mais aussi des vies de saints comme Saint Pierre et Saint Paul, Saint André et Sainte Marguerite, sa décapitation et son couronnement au ciel. On retrouve dans certains de ces vitraux l'indéniable influence des maîtres de Chartres ou de Bourges. Dans la chapelle absidiale, de belles grisailles entourent, au mur nord, la Vierge assise avec l'Enfant Jésus sur ses genoux et, au mur sud, Saint Étienne. Au fond, l'arbre de Jessé, l'histoire de la Vierge et la fameuse légende du clerc Théophile.

On aura garde, à Auxerre, d'oublier la crypte, seul vestige de la cathédrale romane. L'entrée se trouve dans le déambulatoire nord. Elle remonte au XIᵉ siècle et s'étend sous le chœur. Elle comprend une triple nef centrale de six travées, divisée par deux rangs de cinq piliers carrés, un collatéral formant déambulatoire et une chapelle absidiale composée d'une travée et d'une absidiole à voûte en cul de four, c'est-à-dire en forme de demi-coupole. La voûte en berceau de la chapelle est peinte à fresque. Une croix la divise en quatre parties. Dans les quatre compartiments de la croix, quatre anges et, au centre, le Christ, tenant à la main une verge de fer. Tous sont montés sur des chevaux blancs. L'inspiration byzantine est évidente. C'est l'entrée triomphale d'un Christ-roi, figuré à la manière des empereurs entourés des quatre anges cavaliers. La voûte en demi-coupole est illustrée d'un Christ en majesté qu'entourent quatre animaux qui représentent les quatre évangélistes.

La cathédrale d'Auxerre, avec ses tuiles roses, est le plus bel exemple du gothique bourguignon. C'est à son ombre que naquit et vécut Marie Noël, l'un des grands poètes chrétiens de notre temps. Est-ce au portail sud de la cathédrale Saint-Étienne qu'elle songeait, lorsqu'elle refusait de

S'asseoir à côté de tous vos saints assis
Dans vos jardins plus lumineux que la neige,

à Auxerre, «où il fait clair, juste et net, où les yeux ne voient que ce qu'ils voient sans buée ni brouillard», Auxerre flanqué de son vignoble de Chablis.

Pour être moins illustre que Chartres ou que Reims, la cathédrale Saint-Etienne d'Auxerre n'en est pas moins l'une des plus belles de France. C'est le chef-d'œuvre de l'art gothique en Bourgogne. Sa construction en fut décidée en 1215 par l'évêque Guillaume de Seignelay qui, nommé à Paris quelques années plus tard, eut pour successeur Henri de Villeneuve.

C'est de la promenade des bords de l'Yonne qu'il faut la contempler, répondant, par-delà les jardins de la préfecture, à l'église Saint-Germain.

Elle ne fut pas terminée avant le XVIe siècle et fut aussitôt dévastée par les protestants.

Seule la tour nord fut achevée, ce qui donne à la façade de Saint-Etienne l'étrange apparence d'un triangle. Trois portails correspondent aux trois nefs et leur décoration est particulièrement variée. On peut même voir, au portail central, des statues d'Eros, d'Hercule et d'un satyre, personnages païens assez rares dans la statuaire religieuse! Mais le portail le plus riche est sans nul doute le portail méridional, dédié à saint Etienne. La rosace qui le surmonte évoque l'histoire de Moïse. Le portail septentrional, consacré à saint Germain, s'il est moins digne d'intérêt, n'en est pas moins surmonté de la rosace de l'Immaculée Conception, où l'on peut voir la Vierge entourée d'anges.

Sa façade déséquilibrée, aux niches sans statues et son chevet, aux arcs-boutants qui la font ressembler à une forteresse donnent à cette cathédrale aux tuiles roses une rare impression de féminité.

Beauvais

Ancienne capitale des Bellovaques, Beauvais a fait partie sous la domination romaine, et sous le nom de *Caesaromagus,* de la «Première Belgique». On pense que Saint Lucien y enseigna l'Évangile au milieu du IIIe siècle ; il en fut même peut-être évêque. Mais le premier évêque dont le nom nous soit parvenu avec certitude est Marinus, qui vécut au VIIe siècle. Ruinée par les invasions germaniques, la ville dut se grouper dans un camp retranché, un «castrum» d'une dizaine d'hectares de superficie. Avant le Xe siècle, les premières églises épiscopales furent construites dans le «castrum». Dans la seconde moitié de ce siècle, fut construite l'église de la Basse Œuvre dédiée à Saint Pierre, à Notre-Dame et à Jean-Baptiste. Sa nef a été conservée ; elle est, aujourd'hui, comme appuyée au transept de la cathédrale et constitue l'un des rares exemples d'architecture carolingienne qui aient subsisté en France. Au cours du XIe et du XIIe siècles, deux incendies l'endommagèrent gravement et, en 1225, un nouvel incendie détruisit le chevet. C'est alors que l'évêque Milon de Nanteuil et son chapitre décidèrent de construire un Nouvel Œuvre, dont les chapelles rayonnantes des bas-côtés et le déambulatoire sont édifiés en premier. De 1245 à 1272, on construit les parties hautes du chœur : claires-voies, fenêtres, arcs-boutants et parties supérieures des culées destinées à soutenir la voûte. La messe y sera célébrée pour la première fois le jour de la Toussaint de 1272. Les verrières mesuraient vingt-cinq mètres de hauteur et reposaient sur une superstructure trop fragile. C'est ainsi que le 28 novembre 1284, la voûte du chœur s'écroula, entraînant avec elle les parties hautes et certains arcs-boutants de la travée droite, ainsi que les verrières. Seul le chevet de la cathédrale résista. Des piliers intermédiaires furent alors édifiés pour soutenir l'ensemble et on installa des combles à double pente sur les bas-côtés intérieurs et sur le déambulatoire. Jean de Marigny fit don de nouvelles verrières. La construction de la cathédrale fut interrompue au milieu du XIVe siècle, où l'on se consacra exclusivement à la réparation des dommages causés par la guerre de Cent-Ans. En 1472, lors du siège de Beauvais par Charles le Téméraire, auquel Jeanne Hachette opposa une défense héroïque, quelques boulets tombèrent sur l'édifice.

En 1500, l'évêque Villiers de l'Isle-Adam, soucieux de voir achever la construction de la cathédrale, posa la première pierre du transept, sur les plans de l'architecte Martin Chambiges. En 1509, le premier étage du portail du transept sud était construit, jusqu'au passage sous la rosace. Vers 1510-1517, on assista à la seconde démolition des parties orientales de la Basse Œuvre et à la construction du premier étage du portail nord. Vers 1530, les travaux du côté sud reprirent et les contreforts nord furent construits jusqu'au niveau du toit. La façade nord est alors réalisée jusqu'à la base de la rosace. A la mort de Martin Chambiges en 1532, les travaux seront poursuivis par Michel Lalyct. Dès 1534, naît la première idée de bâtir une flèche à la croisée du transept. Le transept nord, avec son magnifique portail, est achevé en 1537 grâce en partie à la générosité de François Ier. Lorsque celui-ci était prisonnier à Pavie, quelques années auparavant, le chapitre de la cathédrale avait fait don d'une partie du Trésor pour payer sa rançon. Juste retour des choses !

Avant même d'entreprendre la construction de la nef, on reprit, en 1563, l'idée d'une flèche de pierre qui s'élancerait dans le ciel à cent cinquante-trois mètres de hauteur ! L'architecte Jean Vaast fut chargé de la réalisation qui fut terminée en 1569. Mais le 30 avril 1573, la flèche s'écroula et avec elle une partie des voûtes du chœur et du transept. Il fallut ensuite reconstruire les voûtes et les combles et, faute d'argent, l'idée de construire une nef dut être à jamais abandonnée. En 1579, on édifia un petit clocher qui remplaça la flèche. A la fin du XVIe siècle, on posa des toits de tuiles sur les chapelles du XIIIe siècle et, en 1605, une palissade de bois fut installée pour fermer l'accès à la façade occidentale. La cathédrale Saint Pierre était «achevée». Il reste de tant d'audace un chevet dessiné par Eudes de Montreuil, architecte de Saint Louis, un chœur et un transept. L'historien Camille Mayran compare la cathédrale à un «vaisseau sans mâts, haute châsse grise, bleue, argentée, rayée d'ombre par ses contreforts, frangée de tout le ciel que retenaient ses arcs-boutants.»

Au milieu du XVIIIe siècle, on aménagea le sanctuaire de l'église. En 1793, un grand nombre de statues furent détruites et Saint Pierre devint Temple de la Raison. Le culte reprit en 1802. Vers 1880, on supprima les toits qui dataient du XVIe siècle sur les chapelles du chœur et on posa des toits plats en plomb. Entre 1907 et 1915, les toits à double pente des bas-côtés intérieurs furent remplacés par un toit en dalle de béton. Puis, ce furent les bombardements de 1940. Les grandes orgues construites en 1530 par Alexandre et Charles des Oliviers, facteurs lyonnais, avaient été reconstruites en 1827. Elles furent détruites par les bombes et sont actuellement en cours de réfection.

Ce qui frappe avant tout, lorsqu'on pénètre dans Saint Pierre de Beauvais, c'est bien entendu la hauteur du chœur. On est comme saisi d'un vertige vers le haut, qui s'accentue à la lecture des dates inscrites sur la voûte et qui indiquent les années des réparations successives qui ont dû être faites : 1574, 1575, 1577, 1578 ! On est également frappé par l'exiguïté due à l'absence de nef : on ne compte guère plus de douze rangées de chaises. La longueur de l'édifice est de soixante douze mètres cinquante, et c'est en fait le transept qui doit être considéré comme une sorte de nef transversale, cinquante-neuf mètres de long. Il est flanqué de deux collatéraux : le bas-côté Est, vers le chœur, date du XIIIe siècle ; le bas-côté Ouest fut reconstruit à la fin du XVIe siècle. Le chœur est éclairé par un triforium vitré et par des fenêtres très rapprochées de dix-huit mètres de hauteur. Avant d'entrer dans le détail des chapelles et de la décoration intérieure de la cathédrale, il faut en faire le tour.

On y entrera par le portail sud. Toutes les statues qui en ornaient le tympan ont été détruites pendant la Révolution. Cette entrée est flanquée de deux tours, qui deviennent octogonales en s'élevant et qui abritent un grand nombre de niches. Le troisième étage de cette façade est celui de la grande rosace à six pétales. Elle mesure environ dix mètres de diamètre et ses vitraux sont l'œuvre de Nicolas le Prince : au centre, Dieu le Père. Les six pétales sont illustrés par la création du soleil, de la lune et des étoiles, des oiseaux, des végétaux, des poissons, des reptiles, des vents. Les compartiments extérieurs fixent diverses scènes comme la tentation d'Adam et Eve, leur expulsion du Paradis terrestre, l'arche de Noé, la tour de Babel, le Buisson ardent, etc. Les vitraux situés en dessous de la rosace sont consacrés aux Prophètes et aux Évangélistes. Le dernier

Saint-Pierre de Beauvais est la cathédrale de l'échec : elle ne sera jamais achevée. Seuls, le chœur et le transept ont été construits et, en 1605, une palissade en bois fut installée pour marquer la fin des travaux. Au cours des siècles, la hardiesse des architectes avait entraîné une série de catastrophes.
En 1284, les travées droites s'étaient écroulées. A la fin du XVᵉ siècle, toute la partie occidentale de l'édifice dut être réparée d'urgence. De 1563 à 1569, l'architecte Jean Vaast érigea une flèche de pierre de cent cinquante-trois mètres de haut, qui s'écroula le 30 avril 1573 entraînant avec elle une grande partie des voûtes. C'est ainsi que les moyens financiers destinés à la poursuite des travaux durent sans cesse être consacrés à payer les réparations. La hauteur sous voûte est de quarante-huit mètres vingt (plus haute qu'à Saint-Pierre de Rome) et la crête de la toiture du chœur s'élève à soixante-huit mètres du sol extérieur ! Les fenêtres du chœur, hautes de dix-huit mètres, donnent l'impression que les murs eux-mêmes ne sont plus que de fragiles piliers. Ici, tout est vertigineux.

étage de la façade est un fronton triangulaire, qui, jusqu'en 1793, fut couronné par une statue de Saint Pierre. Les vantaux du portail, sculptés par Jean Le Pot, montrent la guérison d'un boiteux par Saint Pierre et la conversion de Paul sur le chemin de Damas.

Tout aussi belle, la façade nord est cependant moins détaillée. Au tympan du portail, s'entrelacent les emblèmes de François Iᵉʳ, généreux donateur, et de sa famille : fleurs de lys, salamandres, reines-marguerites et dauphins. On peut voir aussi, inachevé, un arbre généalogique de la Maison de France. Les vantaux sont également sculptés par Jean Le Pot : celui de gauche représente les Quatre Évangélistes, séparés par des Sibylles : celui de droite, les quatre grands docteurs de l'Église. Le chevet de la cathédrale, tout entier du XIIIᵉ siècle, est une véritable dentelle. Les contreforts s'élancent à plus de cinquante mètres de hauteur donnant l'impression d'un feu d'artifice de pierre.

Regagnons l'intérieur et admirons les neuf chapelles qui rayonnent autour du déambulatoire. Dans la chapelle du Sacré-Cœur, à gauche en entrant, un très beau vitrail dû à Angrand Le Prince (XVIᵉ siècle). En se dirigeant vers l'abside, la chapelle Jeanne d'Arc, celles de Saint Lucien et de Sainte Anne sont décorées de vitraux dûs à des maîtres verriers contemporains, tels que Michel Durand, Le Chevallier et Barillet. Les vitraux de la chapelle de la Vierge sont du XIIIᵉ siècle : la fenêtre centrale est consacrée, dans sa partie gauche, à l'arbre de Jessé, celle de droite à l'enfance du Christ. La fenêtre de droite illustre le miracle du clerc Théophile. Enfin, et faute de pouvoir énumérer toutes ces merveilles de couleurs, dont les bleus sont particulièrement chauds, notons que la rosace du transept nord est l'œuvre de Max Ingrand : elle est consacrée au Jugement dernier.

Au point de vue tableaux, il faut remarquer deux tableaux du XVIIIᵉ dans la chapelle de Saint Lucien : Sainte Madeleine et les disciples d'Emmaüs ; derrière le maître-autel un Christ au jardin des Oliviers, un Christ en croix entouré de Charlemagne et de Saint Louis, œuvre de Delafosse (XVIᵉ siècle) ; enfin, au-dessus du tambour de la porte du transept nord, une toile de Jouvenet représentant Jésus guérissant les malades.

Jusqu'en 1974, le chœur, le transept et le déambulatoire étaient ornées de trois séries de tapisseries : des tapisseries du XVIᵉ siècle exécutées à Beauvais, d'autres du XVᵉ en provenance de Flandres, d'autres du XVIIᵉ des ateliers des Gobelins. Cinq d'entre elles furent volées et retrouvées en Allemagne deux ans plus tard et on dut toutes les mettre à l'abri en attendant l'installation d'un système de protection. Parmi les plus somptueuses, deux tapisseries flamandes du XVᵉ siècle : l'une représentant le Crucifiement de Saint Pierre et l'autre la Passion, sept scènes des derniers jours du Christ. Signalons enfin la plus ancienne horloge à carillon existant au monde, construite au début du XIVᵉ siècle par Étienne Musique et une autre, située dans la chapelle du Saint Sacrement : elle fut construite entre 1865 et 1868 par A. Vérité. Son mécanisme ne compte pas moins de quatre vingt dix mille pièces. Elle est animée par de petits personnages. A midi, le coq chante et les automates jouent la scène du Jugement dernier. Elle indique également les phases de la Lune, les marées, les couchers et levers du soleil, les semaines et les mois.

Étrange destin que celui de la cathédrale Saint Pierre de Beauvais ! Construite d'une craie tendre et fragile durcissant à l'air, sa nef ne fut jamais construite et elle est demeurée à tout jamais inachevée, car les fonds destinés aux travaux durent chaque fois servir à réparer les incessants dommages causés par l'audace de ses architectes !

Ci-contre :
*Les vitraux de Saint-Pierre de
Beauvais sont de toutes les
époques.
Les plus anciens sont du
XIIIe siècle, tels ceux de la
chapelle axiale de la Vierge.
Mais les plus beaux remontent
assurément au XVIe siècle : ils
sont l'œuvre de la fameuse
famille des Le Prince, maîtres
verriers. On doit à Nicolas Le
Prince les verrières du transept
sud et la grande rose de la façade
méridionale, à Jean Le Prince les
sibylles de la verrière nord et,
surtout, à Engrand Le Prince la
verrière de la chapelle du
Sacré-Cœur. En sa partie
supérieure, elle représente le
couronnement de la Vierge
Marie. Au-dessous, le
Crucifiement avec saint Hubert,
reconnaissable au cerf, à droite et
saint Christophe à gauche.*

Page en regard :
*Le transept sud de Saint-Pierre
de Beauvais s'élevait, en 1509,
jusqu'au premier étage. Le
portail fut achevé en 1517. Un
perron de quatorze marches le
précède. Jusqu'à la Révolution,
son tympan était orné de statues.
Il subsiste aujourd'hui des niches
vides qui ont cependant conservé
une riche décoration de festons et
de dais. Les vantaux du portail,
œuvre du sculpteur Jean Le Pot,
ont également été mutilés par les
révolutionnaires. Le vantail de
gauche illustre la guérison par
saint Pierre du boîteux de la
Porte Belle du Temple de
Jérusalem. Le vantail de droite
relate la conversion de saint Paul
sur le chemin de Damas.*

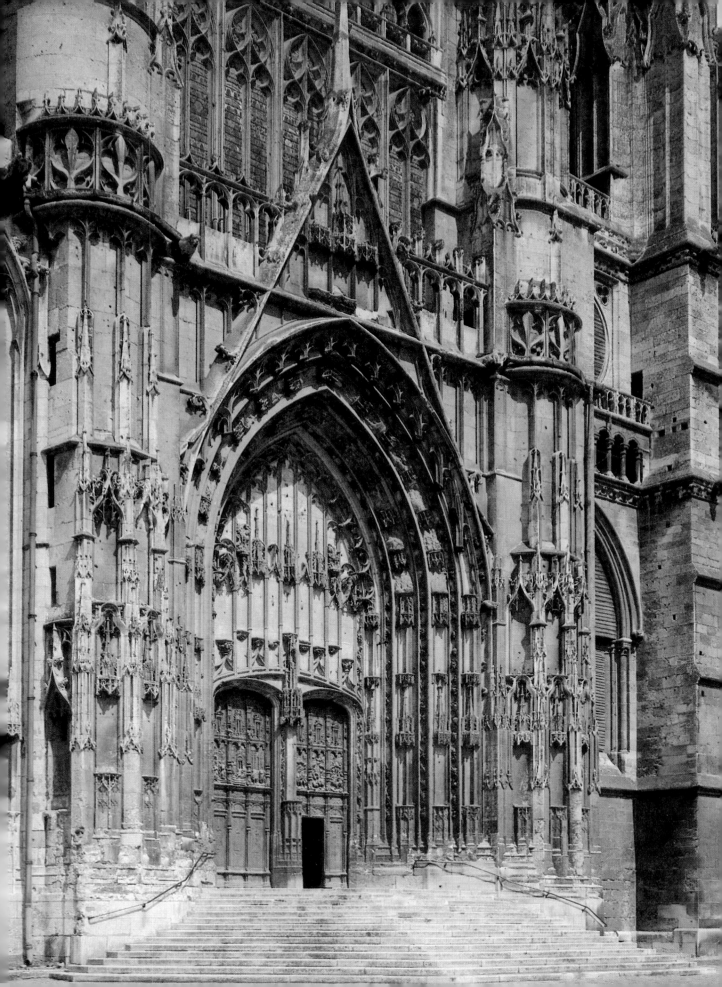

Bourges

Balzac disait de la cathédrale de Bourges que tout Paris ne la valait pas. Nommée, avant le IVe siècle *Avaricum,* Bourges, capitale de la tribu gauloise des Bituriges, soutint, en 52 av. J.-C. un siège mémorable contre César et devint, sous Auguste, la métropole de toute l'Aquitaine. Vers la fin du IIIe siècle, Saint Ursin, envoyé de Rome pour évangéliser les Gaules, y établit son siège et fut ainsi le premier évêque de Bourges. Il apportait avec lui quelques gouttes du sang de Saint Étienne qui venait d'être martyrisé. Pour accueillir dignement cette relique, le gouverneur de la ville, Léocade, offrit son palais. On peut donc dire que la première église de Bourges date d'environ l'an 300. A cette église primitive, aurait succédé, vers 850, une basilique primatiale préromane construite sur décision de Raoul de Turenne, primat d'Aquitaine. Puis, au XIe siècle, le fils naturel d'Hugues Capet, Gauzlin, ou Josselin (vers 980-1030), qui prit possession de l'archevêché de Bourges en 1017, après une querelle qui l'opposa au chapitre pendant quatre ans, fit construire une autre basilique romane, dont une petite crypte subsiste encore aujourd'hui. Cette basilique fut ensuite agrandie grâce à Pierre de la Châtre, nommé évêque en 1141, qui y adjoignit notamment un chevet. Trente ans plus tard, la façade occidentale était pratiquement terminée.

Mais, éternel recommencement de l'Histoire ! vers la fin du XIIe siècle, un incendie détruisit la plus grande partie de l'église et l'archevêque Henri de Sully, frère d'Eudes de Sully, évêque de Paris et ancien chanoine de Bourges, prit la décision de faire édifier une nouvelle cathédrale : c'est celle que nous connaissons.

Le nom du premier architecte ne nous est pas parvenu : on l'appelle le «Maître de Bourges». Mais c'est probablement à Saint Guillaume de Donjon (vers 1120-1209) qu'on doit d'avoir pris la plus grande part dans la construction de la cathédrale Saint-Étienne.

Elle fut, semble-t-il, édifiée au cours de deux grandes périodes. Entre 1195 et 1215, c'est-à-dire sous Saint Guillaume, on construisit le chevet et le chœur, à l'extérieur des remparts gallo-romains ; le déambulatoire et les cinq chapelles rayonnantes sont de cette époque. Il fallut à la fois supprimer peu à peu le chœur de la basilique romane, qui servait encore au culte et construire presque simultanément le nouveau chœur, achevé en 1215. La seconde période s'étendit de 1225 à 1255 : on construisit la nef et la façade. On put réutiliser certains éléments de la basilique précédente. Par exemple, trois portails prévus pour celle-ci et qui n'avaient pas été mis en place, servirent à la cathédrale nouvelle. La nef primitive fut peu à peu démolie au cours de l'achèvement des travaux. Quant à la façade, elle fut commencée vers 1230 et, vers 1255, l'ensemble était terminé. Certes, il restait encore à accomplir la décoration intérieure, notamment le jubé et les vitraux et il fallut, en outre, comme ce fut souvent le cas dans l'histoire des cathédrales, consolider l'ensemble du bâtiment dont les fondations se révélèrent fragiles. Un pilier massif, véritable petite tour, que l'on voit à droite de la façade, fut construit et on renonça à élever plus haut la tour Sud, qui ne reçut jamais de cloches et que l'on appela, pour cette raison, la «tour sourde». La tour nord fut commencée à la même époque, mais elle s'écroula en 1506. La reconstruction, terminée en 1540, s'effectua sous les ordres de Guillaume Pelvoysin. C'est la «tour de beurre», ainsi appelée, comme à Rouen, car elle fut construite grâce aux offrandes des fidèles qui recevaient ainsi l'autorisation de manger du beurre en période de carême. On fit tout pour assurer à cette nouvelle tour une solidité à toute épreuve. Elle possède un escalier de trois cent quatre-vingt-seize marches et s'élève à soixante-cinq mètres de hauteur.

Au cours des guerres de religion, les Protestants endommagèrent gravement la cathédrale, abattant de nombreuses statues de saints et menaçant même de la détruire. Puis, au XVIIIe siècle, comme cela se produisit souvent, les chanoines firent démolir le jubé et supprimèrent de nombreuses verrières qui, disaient-ils, assombrissaient par trop le chœur. Si la Révolution fit relativement peu de dégâts, les restaurateurs du XIXe siècle apportèrent des «embellissements» souvent inutiles.

Consacrée le 5 mai 1324 par l'archevêque Guillaume de Brosse, la cathédrale Saint-Étienne, avec ses deux tours et ses nombreux contreforts et arcs-boutants, n'est pas sans rappeler Notre-Dame de Paris. Il est vrai que les archevêques qui décidèrent de leur construction appartenaient à la même famille et peut-être firent-ils appel à des architectes communs?

Cent vingt-cinq mètres de longueur, quarante-cinq de largeur et un toit dressé à quarante-cinq mètres de haut, la cathédrale de Bourges, on l'a maintes fois dit, ressemble à un véritable vaisseau. «Saint-Étienne, c'est le nom de cette cathédrale», écrivait Stendhal, «est l'une des plus belles de France. Elle fut commencée en 845, à l'époque de cette lueur de prospérité que les arts durent à Charlemagne; elle n'a été terminée qu'après plusieurs siècles. Le portail de l'église, auquel on arrive par un perron de douze marches, a cent soixante-neuf pieds de largeur. Le bas-relief au-dessus de la porte principale représente le Jugement dernier. Pendant les guerres de religion du seizième siècle, les Protestants coupèrent la tête à la plupart des saints de la façade. La nef principale a cent quatorze pieds de hauteur sous clef et trente-huit pieds de large; la longueur totale de l'édifice est de trois cent quarante-huit pieds. La hauteur moyenne des colonnes est de cinquante-deux pieds. La grande rosace, ornée de ses vitraux aux vives couleurs fabriqués au douzième siècle n'a pas moins de vingt-sept pieds de diamètre.» Cette grande rosace, c'est le «Grand Housteau», que Jean, premier duc de Berry, fit dessiner en 1390 par Guy de Dammartin et qu'il offrit à la cathédrale. Le gisant de marbre blanc du duc repose dans la crypte de la cathédrale, où Stendhal l'a vu avec «sa grosse tête à l'air orgueilleux et méchant». La rosace mesure cent cinquante mètres carrés de superficie. Autour d'un noyau central représentant le Saint Esprit sous l'apparence d'une colombe, douze lancettes symbolisent les apôtres.

Saint-Étienne de Bourges a cinq portails, qui correspondent aux cinq nefs, et qui sont surmontés de gâbles pointus. Ils sont tous de taille différente. Le portail central est le plus important, par sa taille et aussi par sa décoration. Le tympan est consacré au Jugement dernier, avec, au sommet, le Fils de l'Homme montrant ses plaies, le linteau à la Résurrection des morts et les six voussures représentent des personnages célestes. A gauche, le portail de la Vierge avec, au tympan, la Mort de la Vierge, son Assomption et son Couronnement, mais la statue du trumeau n'existe plus, et le portail de Saint Guillaume dont les sculptures

Page en regard :
Saint-Etienne de Bourges!
On a rarement pu dire, avec
autant d'à-propos, d'une nef de
cathédrale qu'elle était un
vaisseau!
Comme il n'y a pas de transept,
rien ne la sépare du chœur et du
déambulatoire. Les hautes
colonnes qui bordent la nef
montent à dix-sept mètres de
hauteur. D'un côté, elles séparent
la nef d'un collatéral très élevé
(vingt-et-un mètres trente!)
surmonté d'un triforium et, de
l'autre, d'un collatéral plus bas
(neuf mètres seulement) qui est
bordé de chapelles.

Pages suivantes :
Le porche de la cathédrale de
Bourges, avec ses cinq portails
aux gâbles pointus, constitue un
magnifique ensemble de sculpture
gothique. Le portail central est le
plus imposant : il illustre le
Jugement dernier, c'est-à-dire le
pèsement des âmes, la séparation
des élus et des damnés. Saint
Michel semble dominer la
situation, cependant que les élus
suivent saint Pierre qui les
conduit dans le sein d'Abraham
(parmi les élus, on peut
reconnaître Saint Louis, roi de
France) et que les damnés sont
précipités en enfer. Le premier
portail, à droite, est celui de saint
Ursin, premier apôtre du Berry.
Il jouxte le portail de saint
Etienne, patron de la cathédrale.
On sait que la tour nord de
l'édifice s'est écroulée en 1506 et
fut reconstruite entre 1508 et
1525. Les deux autres portails
ont dû être refaits après cet
accident. Le portail de la Vierge
relate la mort de la Vierge,
l'Assomption et le Couronnement.
Le dernier portail, enfin, est
consacré à saint Guillaume, l'un
des archevêques de Bourges. Cette
façade occidentale, d'une largeur
de cinquante-cinq mètres, malgré
les mutilations subies lors des
guerres de Religion et pendant la
Révolution, est l'une des plus
impressionnantes qui soient.

illustrent des scènes de la vie de l'archevêque. Ces deux portails durent être en partie refaits après l'écroulement de la tour Nord, en 1506 : à droite, le portail de Saint Ursin, en souvenir du premier évêque de Bourges et le portail de Saint Étienne, patron de la cathédrale.

L'absence de transept fait que rien ne sépare la nef du chœur et du déambulatoire. Les bas-côtés sont doubles, le premier assez élevé et éclairé, le second beaucoup plus bas. C'est à la fois une impression d'ampleur et d'équilibre qui se dégage de l'intérieur de cette cathédrale, dont les différentes parties semblent imbriquées les unes dans les autres. Entre les contreforts, se trouvent les dix-huit chapelles latérales, dont les vitraux, comme on l'a dit, constituent un véritable musée du vitrail. Outre le duc de Berry, Bourges a eu le privilège de connaître un autre mécène, l'un des nouveaux capitalistes de la fin du Moyen-Age. Né vers 1395, Jacques Cœur était le fils d'un commerçant. Armateur, exportateur de drap et de métaux précieux, importateur de tapis, de parfums et d'épices, sans doute trafiquant d'esclaves, propriétaire de mines, banquier, grand argentier du Roi, agent de voyages à destination de la Terre Sainte, il fut aussi un fastueux mécène. Mais sa fortune amènera sa défaveur. Condamné à la confiscation de ses richesses et à la prison, il parvient à s'évader, s'enfuit à Rome où le pape lui donne une flotte pour combattre les Turcs et meurt dans l'île de Chios en 1456. Sa chapelle, dite aussi de Saint Ursin, est la première des chapelles latérales du côté nord. Il obtint des chanoines la permission de la faire construire en échange d'une nouvelle sacristie. Il n'y repose pas ; seul, son frère Nicolas y est inhumé. La famille de l'Aubespine l'acquit au XVIe siècle et la chapelle aurait pratiquement perdu le souvenir de Jacques Cœur si ne s'y trouvait le vitrail de l'Annonciation, qui date d'environ 1450. L'homme d'affaires, si l'on peut dire, y donne une grande preuve d'humilité : ni lui ni sa femme n'y paraissent, mais ils sont représentés par leurs patrons, Saint Jacques et Sainte Catherine. Cette scène de l'Annonciation, qui s'étend à toute la fenêtre présente des traits singuliers. La Vierge, généralement surprise par les nouvelles que l'Ange lui apporte, poursuit ici tranquillement la lecture de son bréviaire. La scène se déroule dans un intérieur somptueux, sous une perspective de voûtes gothiques peintes du bleu royal de France et semées de fleurs de lys d'or. Selon les experts, on y donne une innovation technique : l'emploi de placage abrasé dans le décor de damas. Une mince plaque de bleu, fondue sur le verre rouge, est ensuite égrisée pour créer un diapré pourpre. La méticulosité des détails de l'architecture et des vêtements est sans doute due à l'influence de la peinture flamande et on peut rapprocher l'inspiration de ce vitrail de celle des manuscrits enluminés des frères Limbourg. Parmi les autres donateurs de Bourges, il faut nommer Simon Aligret, médecin personnel du duc (le vitrail de sa chapelle date de 1405) et Pierre Trousseau, dont la chapelle est aujourd'hui celle de Saint Jeanne de France : ici aussi, la verrière est du début du XVe siècle. Mais, parmi les plus beaux vitraux de Bourges, il faudrait se garder d'oublier la série des verrières du XIIIe siècle qui éclairent l'abside et les chapelles rayonnantes. Elles furent réalisées entre 1215 et 1235 et illustrent des récits bibliques et des vies de saints. La plus belle est peut-être celle de l'Apocalypse dans la chapelle Saint François de Sales : le Christ, juge et rédempteur, apparaît avec le glaive à deux tranchants entre les dents. On ne peut que se souvenir de ce qu'écrivait Ruskin : «Pour atteindre la véritable perfection un vitrail doit être serein, intense, brillant, comme un bijou de flammes ; empli de scènes étranges aisément déchiffrables, d'une subtile délicatesse mais pourtant simple dans ses harmonies... Cette perfection a été atteinte dans l'exécution des vitraux français des XIIe et XIIIe siècles. Elle ne sera jamais surpassée.» Les verrières de Bourges en sont le plus bel exemple.

Ci-dessus et ci-contre :
*Les verrières du XIIIᵉ siècle qui
éclairent l'abside et les chapelles
rayonnantes de Saint Etienne de
Bourges allient le velours violet
au bleu drapeau et au rouge
framboise. Le magnifique vitrail
de la façade, appelé «le grand*

56

housteau» fut dessiné par Guy de
Dammartin pour le duc Jean de
Berry. Il mesure cent cinquante
mètres carrés et déploie, autour
du Saint-Esprit représenté par
une colombe, douze lancettes qui
symbolisent les apôtres. Il date de
la fin du XIVᵉ siècle.

Ci-dessus :
C'est dans la chapelle du Breuil
ou chapelle de saint
Jean-Baptiste, construite au
milieu du XVᵉ siècle, que le
donateur, le chanoine Jean du
Breuil est présenté à la
Sainte-Famille adorée par les

Mages. Le remplage illustre la
Visitation, la Nativité,
l'Adoration des bergers, la
Présentation au Temple, le
Massacre des Innocents, la Fuite
en Egypte. A la partie supérieure
de la verrière, Dieu le Père est
entouré d'anges musiciens.

Chartres

«La pensée même du Moyen Age devenue visible.» Ainsi Emile
Mâle définissait-il la cathédrale de Chartres. *Atricum* — ce fut d'abord le
nom de Chartres — était la capitale des Canutes et, à l'époque gauloise, le
plus puissant centre du culte druidique. L'endroit, la seule butte de la
plaine beauceronne, était donc prédestiné. Il existe, dans la crypte de la
cathédrale, un puits profond, qui expliquerait, par ailleurs, ce choix. Les
premiers martyrs de Chartres y avaient été précipités par leurs bourreaux
et leurs corps sacrés auraient donné à l'eau des vertus merveilleuses.

Plus que jamais, ici, la parole de Louis Gillet est vraie : «Comme un
arbre jaillit d'un lit de feuilles mortes, la cathédrale repose sur un lit de
cathédrales ensevelies.» En effet, et on s'en doute, la cathédrale actuelle
n'est que l'aboutissement d'une longue histoire! Le premier évêque de
Chartres s'appelait Adventus et vivait au IVe siècle. La première église
daterait de cette époque. Construite à l'intérieur de l'enceinte gallo-romaine, elle aurait été brûlée en 743 par le duc d'Aquitaine. Une nouvelle
église aurait à son tour été détruite par les Normands en 858. Puis, en
911, Chartres eut à subir une violente attaque de Rollon. En 962, une
troisième église fut incendiée par le duc Richard Ier de Normandie, dit
Sans-Peur, au cours de la guerre qui l'opposa à Thibaud le Tricheur,
comte de Chartres. Une autre encore, édifiée sous les ordres de Fulbert,
qui dirigeait l'école épiscopale de Chartres et qui devint évêque de cette
ville en 1006, sera incendiée par la foudre en 1134. Il en subsiste la vaste
crypte ornée de peintures murales : c'est la chapelle Saint-Lubin. Une
nouvelle cathédrale sera construite sur cette crypte. Il n'en demeurera,
après l'incendie de 1194, que la base de la tour du Nord, la tour et la
flèche du Midi et le Portail royal surmonté de ses trois fenêtres. Cette
cathédrale sera reconstruite en un temps record et achevée en 1220.

Mais il faut évoquer une autre tradition de Chartres, qui voulait que,
bien avant la naissance de la Vierge, un roi païen des environs, ait fait
sculpter une Vierge portant un enfant avec cette inscription prophéti-
que : *Virgini pariturae*, «A la Vierge qui doit enfanter.» En outre, en 876,
Charles le Chauve fit présent à l'église de Chartres de la sainte tunique
de la Vierge, que celle-ci portait au moment de l'Annonciation. Elle avait
été envoyée à Charlemagne par l'impératrice Irène de Constantinople.
Pendant des siècles, elle demeura invisible et Henri IV, sacré dans la
cathédrale de Chartres en 1594, ne put même pas la voir. Ce n'est que
pendant la Révolution que le mystère fut dévoilé. La tunique était une
pièce d'étoffe d'origine syrienne, du Ier siècle de notre ère. Elle est aujourd'hui conservée dans la chapelle Saint-Piat, édifiée au XIVe siècle et
qui fait comme une excroissance à l'abside de la cathédrale, à laquelle
elle est reliée par un escalier ajouré. Quoi qu'il en soit, tout ceci explique
à quel point la Vierge est vénérée à Chartres, à tel point qu'afin de

conserver sa pureté la cathédrale ne contenait aucun tombeau!

Le nom de l'architecte ne nous est pas parvenu, mais il nous a laissé, au-dessus des blés mouvants de la plaine de Beauce, le grandiose témoignage de sa foi et de son humilité. La cérémonie de la dédicace eut lieu en 1260 en présence de Saint Louis, qui passa par le Portail royal, ultime chef-d'œuvre de l'art roman. Le tympan central représente le Sauveur triomphant bénissant les fidèles. A ses pieds, les Apôtres, groupés trois par trois. Dans les voussures, anges et vieillards de l'Apocalypse. La porte de droite, ou porte du Midi, illustre l'avènement de Jésus sur la terre : annonciation, visitation, nativité, adoration des bergers, présentation. On y voit la Vierge en Majesté, l'une des premières statues de ce type : elle date de 1145. La porte de gauche, ou porte du Nord, est consacrée à l'Ascension. La rosace et la galerie des rois surmontant le portail sont du plus pur gothique.

Notre-Dame de Chartres est orientée d'ouest en est, le chœur étant au levant, la façade principale au couchant. Deux portails, à chaque extrémité du transept, s'ouvrent l'un au nord, l'autre au sud. De ces portails, celui du sud est le plus ancien (entre 1223 et 1250) et incontestablement le plus riche. Il est précédé d'un perron de dix-sept marches, surmonté d'une galerie portant dix-huit grandes statues des rois de Juda. C'est le portail de la nouvelle Loi. La porte centrale illustre l'enseignement du Christ, debout, entouré de ses apôtres : ces statues datent de 1215 à 1220. Sur le linteau, le Jugement dernier. Au tympan, le Christ montrant ses plaies, entre la Vierge et Saint Jean, entourés d'anges portant les instruments de la Passion. Aux voussures, la Résurrection des Morts, le Paradis et l'Enfer. La porte de droite est dite «des Confesseurs», avec huit statues de saints en deux groupes de quatre. Le tympan évoque les vies de Saint Martin et de Saint Maurice. La porte de gauche, dite «des Martyrs» présente également huit statues de saints. Sur les piliers des porches, de part et d'autre de ces deux portes, on peut voir d'étranges scènes de la vie quotidienne, illustrant les Vertus et les Vices, mais aussi, en haut du pilier d'angle du porche gauche, la scène de l'assassinat de Thomas Becket dans la cathédrale de Cantorbery. Notons aussi, au pilier nord-ouest du carré du transept, l'énigmatique Ange au cadran.

Commencé vers 1230, le portail du nord est demeuré inachevé. Il comporte également trois portes, qui correspondent aux trois nefs du transept. Il est consacré à l'ancienne Loi. La porte centrale est dédiée à la Vierge, de son enfance à son couronnement. Au trumeau, elle est entre les bras de Sainte Anne, entourée de douze prophètes. Aux voussures, on peut voir l'histoire de la Création du monde et le Paradis terrestre. La porte de gauche lui est plus particulièrement dédiée et celle de droite illustre scènes bibliques et figures de l'Ancien Testament. Aux voussures du porche, on peut voir le calendrier et les signes du zodiaque. Au massif d'angle de ce porche, est adossée l'une des plus belles statues de Chartres : elle représente Sainte Modeste, l'une des premières martyres chartraines. En tout, plus de mille huit cents statues, dans un ordre savamment élaboré — on a pu parler de bande dessinée en pierre — ornent le pourtour de Notre-Dame de Chartres.

Les deux flèches divisent l'opinion et le goût des fidèles et des visiteurs. Elles sont très dissemblables et, pourtant, dès qu'on les aperçoit de loin, c'est leur unité qui crée Chartres. Celle de droite est appelée le «clocher vieux»; avec sa grande pyramide de pierre, elle est de style roman. Érigée entre 1154 et 1170, elle monte à cent cinq mètres soixante-cinq. La flèche de gauche, ou «clocher neuf» est en réalité plus ancienne. Elle fut construite de 1134 à 1150, mais la flèche de bois brûla en 1506 et fut remplacée par la flèche actuelle, terminée en 1513 par Jean Texier, dans le pur style gothique flamboyant. C'est elle qui abrite les

Page en regard :
Au-dessus des blés mouvants de la plaine beauceronne, les deux flèches de Notre-Dame de Chartres semblent deux alouettes chantant au matin. Les pèlerins qui s'y rendent chaque année au printemps — et particulièrement les étudiants, en souvenir de Charles Péguy qui y vint en 1912 pour demander la guérison de son enfant — les voient de loin, comme un «ferme espoir», comme une terre promise. «Sur le dernier coteau, la flèche inimitable», écrivait Péguy. Et pourtant, ces deux flèches divisent toujours le goût des fidèles et des visiteurs. Celle de droite, dite «clocher vieux», est de style roman. Haute de plus de cent cinq mètres, elle fut achevée en 1170. En réalité, c'est celle de gauche, dite «clocher neuf», qui est la plus ancienne. Car, si elle fut terminée en 1513, dans le plus pur style gothique flamboyant, elle existait depuis 1150, mais brûla malheureusement en 1506 et dut être remplacée. Elle abrite les cloches et notamment le gros bourdon, qui date de 1520 et pèse cinq tonnes.

Pages suivantes :
Le portail occidental est appelé le «portail royal». Sculpté vers 1145, il se trouvait à l'origine à une quinzaine de mètres en retrait. Puis, il fut démonté et installé à son emplacement actuel. C'est par là que passa Saint Louis, lors de la consécration de la cathédrale, en 1260. Le Sauveur y bénit les fidèles : c'est le Christ en majesté, entouré des symboles des évangélistes.

cloches, dont le gros bourdon.

Lorsqu'il pénètre dans la cathédrale, venant du parvis de la façade occidentale, surtout par grand soleil, le visiteur a tout d'abord l'impression de devenir aveugle. Puis, ses yeux s'habituent à l'obscurité et les seules lumières qu'il perçoit sont les bleus des vitraux, pareils à des flammes de punch. La nef centrale est très large : seize mètres. Cela provient du fait que les fondations de la basilique du XIe siècle sur lesquelles elle fut construite, étaient très écartées. Les voûtes s'élèvent à trente-sept mètres de hauteur. Pour utiliser un langage d'architecte, la grande innovation, bientôt reprise ailleurs, fut d'appuyer les croisées d'ogive sur des travées rectangulaires et non plus sur un plan carré, ce qui permit de supprimer les tribunes, simplement remplacées par un triforium. Le transept possède trois nefs de même hauteur et le chœur, entouré d'un double déambulatoire, est très long : plus de trente-sept mètres. Constitué de quatre travées, il mesure six cent cinquante mètres carrés et c'est l'un des plus vastes de France. Après la destruction du jubé, au XVIIIe siècle, il fut décoré dans le goût un peu pompeux de l'époque, avec bas-reliefs enrichis d'or et de bronze, et notamment un groupe représentant l'Assomption, assez grandiloquent. La clôture, en pierre sculptée, fut exécutée au début du XVIe siècle par l'atelier de Jean Texier.

Mais la merveille de Chartres, ce sont les vitraux. Huysmans nous en a conté l'origine : «L'on avait établi un compte des figures insérées dans les fenêtres de la basilique ; il s'élevait au chiffre de 3.889 ; tous, au Moyen Age, avaient voulu offrir à la Vierge une image de verre et, en sus des cardinaux et des rois, des évêques et des princes, des chanoines et des seigneurs, les corporations de la ville avaient commandé, elles aussi, leurs panneaux de feu ; les plus riches, telles que les compagnies des drapiers et pelletiers, des orfèvres et changeurs, en remettaient cinq à Notre-Dame, tandis que les confréries plus pauvres des maîtres-éviers et porteurs d'eau, des portefaix et crocheteurs, en avaient chacune présenté un.» C'est ainsi que quarante-deux des verrières des bas-côtés de la nef et du déambulatoire de la cathédrale ont été offertes par les riches corporations de la cité. Les donateurs ont «signé» en faisant représenter leur métier au-dessous des médaillons qui illustrent des scènes bibliques ou légendaires. La Mort et l'Assomption de Marie, à droite, ont été offertes par les cordonniers. Au-dessous du cordonnier, que l'on voit au travail, les médaillons s'étagent symboliquement en cercles et quatre-feuilles alternés. Ils dépeignent la Mort, les funérailles, la mise au tombeau, l'Assomption et le Couronnement de la Vierge. Dans le quatre-feuilles inférieur, le Christ reçoit l'âme de la Vierge, symbolisée par un enfant nu. Ailleurs, un charron représente sa corporation au bas d'une verrière. Dans la rosace Nord, des médaillons multiformes représentent anges et colombes, rois et prophètes et convergent vers l'image de la Vierge à l'enfant de la rosace centrale. Dans les lancettes au-dessous, Sainte Anne et quatre majestueux personnages de l'Ancien Testament surmontent, triomphants, des scènes d'hérésie et de désastre, l'idolâtrie de Nabuchodonosor et de Jéroboam, la noyade de Pharaon dans la Mer rouge et le suicide de Saül. Les vitraux les plus anciens sont ceux des trois baies de la rosace Ouest. Ce sont les seuls, avec celui de Notre-Dame de la Belle Verrière, qui aient échappé à l'incendie de 1194. La verrière de Jessé, à droite, retrace la généalogie du Christ. La lancette centrale illustre la Vie de Jésus, de l'Annonciation à son entrée à Jérusalem et le récit se poursuit dans la verrière de la Passion, à gauche. Quant à Notre-Dame de la Belle Verrière, le bleu ciel de son vêtement contraste vivement avec le bleu soutenu de l'ensemble du vitrail. Les quatre panneaux sont du XIIe siècle : ils sont assemblés dans une verrière qui représente des anges, les noces de Cana et la Tentation du Christ.

Ci-contre :
Le portail du nord comporte trois portes, qui correspondent aux trois nefs du transept. La porte de gauche est dédiée à Notre-Dame et la porte de droite aux figures de l'Ancien Testament qui symbolisent Jésus et la Nouvelle Alliance. Le porche qui précède cette porte est consacré au travail. On peut y lire, dans les voussures, le calendrier et les signes du zodiaque. La statue la plus émouvante se trouve au massif d'angle de ce porche : c'est celle d'une mystérieuse jeune fille qui tient un livre dans sa main gauche et lève la main droite, sainte Modeste, l'une des premières martyres de Chartres.

Page en regard :
Le portail du nord tout entier est consacré à l'Ancienne Loi : on l'a appelé le portail de l'Attente. La porte centrale illustre la vie de la Vierge, de son enfance à son Couronnement, que l'on peut voir au tympan. En avant de la porte centrale, de grandes statues ornent les massifs. Ce sont des prophètes et des saints : Isaïe, Jérémie, Siméon, saint Jean-Baptiste et saint Pierre.

«Au XIIᵉ siècle», écrit Huysmans, «les peintres du verre employaient surtout trois couleurs : d'abord le bleu, ce bleu ineffable du ciel irrésolu qui magnifie les carreaux de Chartres; puis, le rouge, un rouge de pourpre sourde et puissante...» Dans le déambulatoire, du côté du midi, voici Notre-Dame de la Belle Verrière, éblouissante de saphir. C'est une Vierge en majesté du XIIᵉ siècle. Dans l'une des lancettes de la rosace nord, le roi David joue de la harpe.

Page en regard
L'architecte de Notre-Dame de Chartres, dont nous ignorons le nom, eut, le premier, l'idée de supprimer la tribune, permettant ainsi aux piliers de la nef d'atteindre une plus grande hauteur : trente-sept mètres.

Pages suivantes :
La rosace sud (à gauche) illustre la vision de saint Jean l'Evangéliste, à l'île de Patmos, vers la fin du Iᵉʳ siècle, telle qu'elle est décrite dans l'Apocalypse. Le Christ, au centre, est entouré des quatre symboles évangéliques, d'anges et de vieillards.
La rosace nord (à droite), ou Rosace de France, a été offerte par Blanche de Castille, mère de Saint Louis, pour remercier Dieu de lui avoir permis de triompher de Pierre Iᵉʳ Mauclerc, duc de Bretagne. Elle est ornée de lys d'or. Dans les cinq lancettes, on peut voir sainte Anne et quatre personnages de l'Ancien Testament.

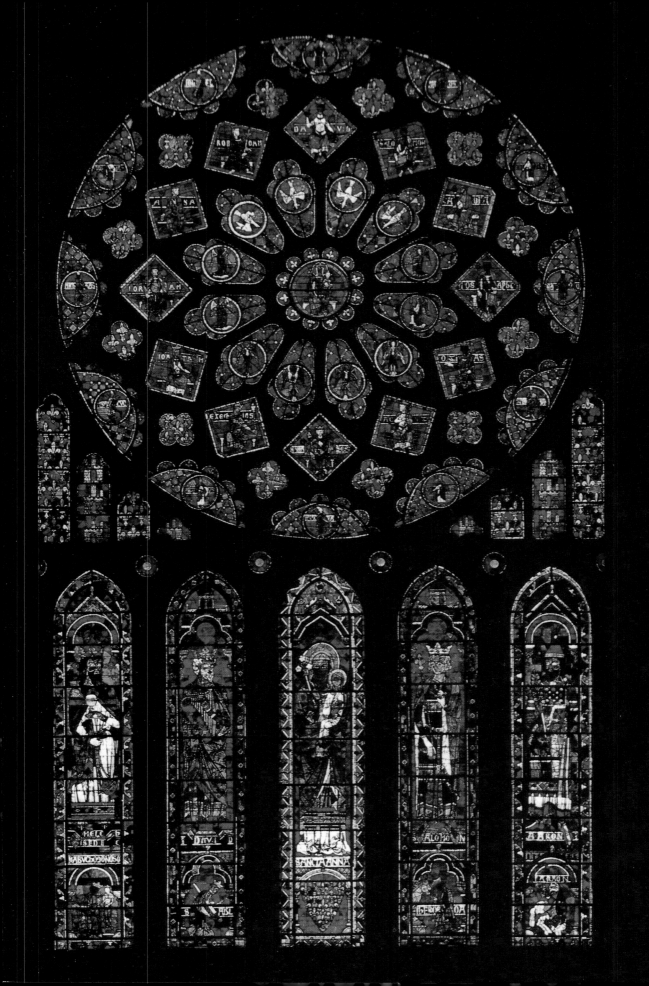

Laon

Voulez-vous manger des cesses?
Voulez-vous manger du flan?
Quand irons-nous à Liesse?
Quand irons-nous à Laon?

disait une chanson d'autrefois. Située sur une colline qui domine la plaine de Thiérache d'une centaine de mètres, Laon (*Laudanum*), peut-être la Bibrax des Gaulois, devint évêché au Vᵉ siècle et siège de la célèbre abbaye de Saint-Vincent. Au début de ce siècle, Aemilius, général gallo-romain et comte de Laon, avait fait construire une petite église dédiée à Notre-Dame. Puis, son fils Saint Rémi, appelé au siège de Reims (c'est lui qui baptisa Clovis!) fonda les sièges épiscopaux d'Arras et de Laon. Vers 800, l'évêque Gerfried fit reconstruire l'église primitive, qui devint un édifice imposant, dans le pur style carolingien, auquel Charles le Chauve adjoignit un cloître. Adalbéron ou Ascelin, évêque de Laon en 977 et l'un de ceux qui prirent une grande part à l'accession de Hugues Capet au trône, fit ajouter une seconde tour. Il est bon de rappeler que, sous les Carolingiens, de 740 à 988 environ, Laon fut la capitale des rois de France. Cent ans plus tard, Hélinand fit encore construire une église romane, qu'un incendie détruisit en 1112. Ce n'est qu'en 1155 que Gautier de Mortagne fit entreprendre la construction de la cathédrale de Laon telle que nous la connaissons. Dès 1180, les cinq premières travées de la nef étaient achevées, ainsi que la façade occidentale. Au tout début du XIIIᵉ siècle, le chœur était reconstruit à la suite d'éboulements et, vers 1235, tours et clochers se dressaient vers le ciel. La construction de Notre-Dame de Laon s'est donc accomplie en un temps record : quatre-vingts ans! On a pu dire qu'elle a servi de modèle aux autres grandes cathédrales françaises. Strictement contemporaine de Notre-Dame de Paris, sa façade a incontestablement inspiré la façade de Reims. Il faut voir dans cette exemplarité l'effet du très important rôle historique de Laon dans la vie du royaume, car, même lorsque les rois se furent installés sur les bords de la Seine, ils ne négligèrent jamais leur ancienne capitale. Si celle-ci fut, par Louis VI, privée de ses privilèges, elle les recouvra peu après et Louis VII y fit même édifier un nouveau palais. Il fallut attendre 1331 pour que Philippe VI abolisse définitivement la commune de Laon.

Les modifications apportées à la cathédrale furent peu nombreuses et somme toute semblables à celles qui affectèrent presque toutes les cathédrales : destruction du jubé au XVIIIᵉ siècle par des chanoines qui se prenaient pour des architectes, destruction d'une partie des vitraux et, pendant la Révolution, d'un grand nombre de statues. Dans la seconde moitié du XIXᵉ siècle, l'architecte Emile Boeswillwald, inspecteur des travaux de Notre-Dame de Paris sous Viollet le Duc, contribua pour une grande part à la restauration de Laon. Ce qui surprend le plus le voyageur qui l'aperçoit, sur sa colline, des fenêtres du train, c'est cette imposante masse de pierre, l'un des premiers et des plus parfaits exemples de l'art gothique primitif, dont Claudel admirait les quatre clochers sans cloches, entièrement perforés.

La façade principale est la façade occidentale. Au rez-de-chaussée, trois grands porches proéminents abritent les portails. Ils sont surmontés de pignons sculptés et séparés par de hauts clochetons à flèche hexagonale. L'extraordinaire légèreté de Notre-Dame de Laon tient précisément à ce perpétuel voisinage du carré, du rectangle, de l'hexagone et de l'octogone. Au-dessus des portails, une rosace centrale et deux grandes fenêtres, puis une galerie ajourée, à arcatures, dont la partie centrale est légèrement surélevée par rapport aux parties latérales et que dominent les deux tours, haute de cinquante-six mètres, d'une architecture fort diversifiée : carrées à la base, elles deviennent octogonales, avec des tourelles de même géométrie. Au-dessus de la tour sud, s'élevait une flèche de pierre qui fut démolie pendant la Révolution. La superposition de ces différentes figures donne une étrange impression de château de cartes. Aux angles des tourelles, seize bœufs de pierre, reproduits par l'architecte Villard de Honnecourt, semblent contempler avec bienveillance la ville de Laon. On dit qu'ils immortalisent le dur labeur des bœufs qui transportaient les pierres et le souvenir d'un bœuf inconnu qui vint de lui-même prendre la place d'un autre qui mourut à la tâche.

Le portail de droite date du milieu du XIIe siècle. C'est celui du Jugement dernier. Au tympan, le Christ assis, avec, à ses pieds, les morts qui sortent du tombeau. Aux voussures, les apôtres, les anges sonnant de la trompette, les Vierges sages et les Vierges folles. Le portail de gauche est celui de la Nativité : la Vierge, Saint Joseph, le Bœuf et l'Ane. Au tympan, les Rois-mages ; dans les voussures, le combat des Vertus et des Vices et le défilé des Prophètes. L'iconographie extrêmement complexe et variée de ce portail semble prendre racine à la fois dans la vie quotidienne et dans le texte des mystères que l'on jouait à l'époque sur le parvis de la cathédrale. Le portail central, enfin, est consacré à la gloire de Marie. Le tympan montre Marie assise et couronnée, cependant que deux anges, de chaque côté, tiennent un encensoir et un chandelier. Aux voussures, on peut voir l'arbre de Jessé, arbre généalogique du Christ, souvent reproduit, notamment dans une belle verrière de Chartres et à la Sainte Chapelle de Paris. On y voit le plus souvent le patriarche Jessé, couché à terre et endormi. Soit de sa tête, soit de son ventre, s'élance un tronc vigoureux qui se ramifie et dont chaque branche porte un des ancêtres du Sauveur. La plus haute branche se termine par une fleur épanouie qui sert de trône à la Vierge, laquelle tient entre ses bras l'Enfant-Jésus.

La grande rosace de la façade occidentale est une rose à roue, dont chaque rayon ne correspond pas aux axes horizontaux ou verticaux du cercle, mais sont disposés en V. Elle illustre le Jugement dernier. Des fenêtres qui l'entourent, celle de droite raconte l'histoire de la Création : Dieu sépare la terre des eaux, crée les plantes, le soleil, la lune et les étoiles, les poissons, l'homme et les mammifères. Le huitième jour, il se repose. La fenêtre de gauche illustre l'enseignement de l'école de Laon, dont Anselme, dit le Scolastique, mort en 1117, fut l'un des principaux maîtres. Il dirigea, pendant une vingtaine d'années, cette école où étudièrent, entre autres, Guillaume de Champeaux et Abélard. On y enseignait les arts libéraux représentés ici dans les voussures de la fenêtre : la philosophie, la tête dans les nuages, la grammaire s'adressant aux enfants, la dialectique ceinturée d'un serpent et la rhétorique levant les bras au ciel. Puis, les sciences : l'arithmétique et son boulier, la musique et

Page en regard :
*La nef de Notre-Dame de Laon
comprend onze travées aux gros
piliers cylindriques, recouvertes
de voûtes sexpartites et mesure
plus de cinquante-trois mètres de
long. Son élévation à quatre
étages : de grandes arcades
ouvrant sur les collatéraux assez
bas, les tribunes, le triforium aux
minces colonnettes et enfin les
claire-voies donnent une
impression d'ampleur et de
mesure, prolongée par le chœur
de dix travées sur quarante-cinq
mètres de long. Il est terminé par
un chevet plat, ce qui est rare
dans les églises françaises. Il date
de 1205. La rose du chevet, ornée
de verrières du XIIIe siècle,
illustre le cycle de Noël et celui
de Pâques, le martyr de saint
Etienne et l'histoire du clerc
Théophile.*

Pages suivantes :
*Construite dès 1155 par Gautier
de Mortagne, la cathédrale de
Laon paraît dominer la ville. La
façade est sévère avec les trois
portails abrités par de grands
porches, les fenêtres entre les
clochetons, la rose et les deux
grandes fenêtres aux voussures
sculptées, enfin la galerie dont la
partie centrale est plus élevée.
Mais les tours, surtout, sont
étranges. Huysmans écrivait : «A
Laon, elles sont surtout bizarres.
Avec leurs colonnettes, tantôt en
avance et tantôt en recul, elles
ont l'air d'étagères superposées à
la hâte et dont la dernière se
termine par une simple
plateforme au-dessous de laquelle
meuglent, en se penchant, des
bœufs».*

ses cloches, l'astronomie et son astrolabe, la géométrie et son compas. Enfin, arts mineurs, l'architecture et la médecine.

Sur la façade latérale nord, s'ouvre le portail de Saint Nicaise, qui date du début du XIIIe siècle. Deuxième évêque de Reims, Saint Nicaise fut massacré en 407 par les Vandales. C'est son martyre que décrivent les sculptures de ce portail. Le transept nord est dominé à son extrémité par la tour dite de Saint Thomas Becket, qui vécut à Laon vers 1165, lors de son exil en France ; elle est aussi ajourée que celles de la façade. La grande rose constituée d'un oculus central et de huit oculi fut exécutée, à la fin du XIIe siècle, par l'atelier de Pierre d'Arras et représente, comme les voussures de l'une des fenêtres de la façade occidentale, les arts libéraux. Elle est surmontée d'une galerie ajourée, au-dessus de laquelle s'élevait un clocher de bois détruit au XVIIIe siècle par la foudre. La face latérale sud est en partie dissimulée par le cloître. Ici, une grande verrière remplaça, au XIVe siècle, la rosace primitive et, au-dessus de la galerie se dressait un clocher qui fut abattu pendant la Révolution. La tour de l'Horloge, qui s'élève à soixante mètres cinquante, domine cette extrémité du transept sud. Enfin, à la croisée des transepts, a été construite la tour-lanterne, massive et carrée, haute de quarante mètres.

L'intérieur de Notre-Dame de Laon mesure cent dix mètres cinquante de longueur dans œuvre. La largeur du transept est de trente mètres cinquante et la hauteur sous voûte de vingt-quatre mètres. La nef, d'une longueur de cinquante trois mètres, est à onze travées et d'une élévation à quatre étages : rez-de-chaussée, tribunes, triforium et hautes fenêtres laissant entrer la lumière du jour. Un cordon de pierre court tout autour du mur et semble ainsi relier entre elles les colonnes, d'où une parfaite impression d'horizontalité dans la hauteur. Le chœur, qui mesure quarante-cinq mètres de long — presqu'autant que la nef! — est la partie la plus ancienne de la cathédrale. Les trois travées primitives de 1155 ont été conservées, mais les sept autres sont un peu plus récentes. Le chœur est clos, côté nord, par un chevet plat, de style cistercien, dont la grande rosace donne sur les jardins de l'évêché : elle représente l'Eglise après le Jugement dernier et est surtout remarquable par ses vingt-quatre médaillons extérieurs où figurent les vingt-quatre vieillards de l'Apocalypse tenant dans leurs mains des instruments de musique. Outre la rosace, les vitraux du chœur comprennent trois lancettes. On appelle lancette la division longitudinale d'un vitrail, terminée en arc tiers-point surhaussé. Ces vitraux de chevet datent d'avant 1320. La lancette de droite évoque la Nativité, avec l'Annonciation, les Rois-mages, le Buisson ardent, la Fuite en Egypte, la Présentation de la Vierge au Temple. La lancette de gauche est divisée en deux parties : le martyre de Saint Etienne en bas et, en haut, le miracle du clerc Théophile qui, ayant perdu sa charge donna son âme au diable pour la recouvrer et aurait été ensuite sauvé par l'intercession de la Vierge. C'est un miracle qui obtint au Moyen Age un immense succès. La lancette centrale, enfin, est celle du cycle de Pâques. On y voit, en une succession de médaillons tantôt quadrilobes et tantôt circulaires, la Cène, le Jardin des Oliviers, le baiser de Judas, le portement de la Croix, la Crucifixion, la Mise au tombeau, avec un admirable visage de Christ mort, l'apparition du Christ à Madeleine, la Résurrection et l'élévation au Ciel.

Une grille du XVIIe siècle sépare le chœur du sanctuaire proprement dit et, sur la gauche du chœur, dans le Trésor fermé au public on peut admirer de magnifiques tapisseries bruxelloises du XVIIe siècle et surtout une icône slave de la Sainte-Face, rapportée de Bari en 1249 par Jacques Pantaléon, alors archidiacre de la cathédrale de Laon, qui allait devenir pape (Laon a fourni quatre papes à l'Église !) sous le nom d'Urbain IV et instituer en 1284 la fête du saint sacrement. Les orgues de la cathédrale sont du XVIIe siècle et le buffet serait l'œuvre de Germain Pilon.

Ci-dessus :
*La statuaire de Notre-Dame
de Laon est particulièrement
riche, même si les portails furent
en grande partie restaurés au
siècle dernier. Le portail central
est celui de la Vierge, le portail
de droite celui du Jugement
dernier et le portail de gauche, le
plus intéressant illustre la
Nativité avec un sens très précis
de la vie quotidienne. Anges
portant la croix ou sonnant de la
trompette, apôtres assis pieds nus,
bergers et Rois mages, toute
l'iconographie religieuse est
inscrite dans la pierre. L'école de
théologie de Laon, illustrée par
saint Anselme, était célèbre et
c'est ainsi que, dans la fenêtre de
gauche du premier étage de la
façade, divers personnages
représentent les arts libéraux.*

Ci-contre :
*L'intérieur de la cathédrale de
Laon, inondé de lumière, est
parfaitement équilibré. Cent dix
mètres cinquante de long, une nef
et un chœur de proportions
voisines, un chevet plat pour
clore l'ensemble. Rez-de-chaussée,
tribunes, triforium et claire-voie
montent à une altitude de
vingt-quatre mètres.
Les hautes arcades du
rez-de-chaussée sont portées par
une colonnade et les tribunes, très
éclairées, constituent presque
comme une seconde église. Le
triforium fait tout le tour. Le
transept, vaste et profond
(cinquante-quatre mètres) est
comme une église transversale.
Nous savons d'ailleurs qu'il
existait à Laon des autels dans
les étages de la cathédrale.*

Le Mans

Personne n'a sans doute mieux dit la beauté de la cathédrale du Mans que Paul Claudel, dans une note de son journal intime datée d'avril 1925 : «J'étais loin de m'attendre à cette chose superbe. Taillée dans un pur froment de lumière, dans un rayon angélique que par endroits un rose délicat vient colorer (comme la Certosa de Pavie). Étonnante alliance de l'arceau largement ouvert et de l'étroite ogive à lancettes d'une énergie et d'un élan extraordinaires. Au-dessus du chœur rencontre et alliance prodigieuse de toutes les courbes entrecroisées dans le plus riche des lacs géométriques. Coup de génie de cette grande ogive aiguë qui ouvre le chœur. Et les hautes colonnes du chœur, aussi belles qu'à Strasbourg, fleurissant très haut et se terminant par des nervures multipliées, ascension accrue par les espaces étroits qu'elles laissent entre elles. Montant comme un grand jet de force cylindrique. Sans aucune représentation sculpturale, le port du palmier, l'élégance du lys et là-haut l'épanouissement spirituel de la rose. Tout cela rien que par des moyens architecturaux, pas de sculptures. Les incomparables vitraux. La tenture inouïe de pourpre et de digitale qu'on voit de la porte de la sacristie. Ce choc au cœur de la lumière de Dieu comme les communications de l'oraison. Au-dehors l'étonnante verrière fleurissant sur ce mince pédoncule, avec à l'autre croisement cet onglet délicieux d'un petit baldaquin en relief, cet auvent levé. Le flanc de la cathédrale, cette sublime page nue avec les fenêtres matronales deux par deux. L'élan des minces contreforts superposés se levant de toutes parts avec une puissance aérienne.»

La ville gauloise capitale des Aulerques fut remplacée, après sa destruction, par *Cenomanum,* que Saint Julien évangélisa au IIIᵉ siècle. Capitale d'un royaume mérovingien, la ville fut détruite par les Normands. Les évêques, les comtes et les bourgeois s'affranchirent entre 1050 et 1090, se disputèrent ensuite la prééminence dans la cité qui finit par tomber aux mains des comtes du Maine. Dès le VIIᵉ siècle, une église aurait été élevée à Saint Julien, mais c'est Saint Aldric, confesseur de Louis le Pieux et mort en 857 qui décida de la construction de la cathédrale et y imposa la règle de Saint Chrodegang, de Metz. La ville primitive se trouvait sur la rive gauche de la Sarthe, autour de la cathédrale. On peut encore voir l'emplacement des anciens remparts. C'est à la fin du XIᵉ siècle que l'évêque Hoël fit construire le chœur, le transept et la nef d'une nouvelle cathédrale qui sera, à deux reprises, dévastée par les flammes en 1134 et 1137. Il fallut restaurer le chœur et la nef, ce qui fut accompli une vingtaine d'années plus tard, sous l'épiscopat de Guillaume de Passavant. Le chœur de la cathédrale romane, devenu trop petit pour le nombre des fidèles, dut être agrandi, avec l'autorisation de Philippe-Auguste. Les travaux durèrent de 1220 à 1254 environ, date à laquelle la nouvelle cathédrale fut consacrée par Guillaume de Loudun. Il ne s'agissait pas, à vrai dire, d'un édifice entièrement nouveau, car de nombreuses parties de l'époque romane, notamment la nef, avaient été conservées. C'est par la construction du transept que les travaux prirent fin : le bras sud fut terminé vers 1390 et le bras nord, grâce à la générosité de Charles VI, vers 1425.

La cathédrale Saint-Julien met bien en évidence la juxtaposition du roman et du gothique. La nef romane, massive et trapue, tranche avec le transept plus élevé et le chœur qui déploie en éventail ses chapelles absidiales. Avec ses portes et ses fenêtres en plein cintre, la façade est typiquement romane ; certains ornements sculptés remontent au XIe siècle. Le porche méridional est assurément le plus remarquable. On peut le dater de 1160. On l'appelait autrefois le portail de la pierre au lait, sans doute parce que les laitières y déposaient leurs pots. On y voit des personnages de l'Ancien Testament, David jouant de la harpe, Salomon et la reine de Saba et les ancêtres du Christ. Les douze apôtres occupent les niches du linteau. Aux piédroits, les statues de saint Pierre et de saint Paul. Au tympan, siège le Christ et aux voussures sont relatées diverses scènes de sa vie.

La nef de la cathédrale du Mans est formée de cinq travées flanquées de bas-côtés. On y suit l'évolution architecturale du plain cintre à la voûte ogivale. L'élévation comprend les arcades et un triforium surmonté de fenêtres groupées deux par deux. Les chapiteaux des colonnes sont abondamment ornés, feuillages et oiseaux. La longueur du chœur est de trente-quatre mètres et sa largeur de dix. Il se compose de trois travées voûtées et d'un double déambulatoire sur lequel s'ouvrent douze chapelles. La chapelle axiale, consacrée à la Vierge, est d'une profondeur double de celle des autres. Au-dessus des arcades, s'ouvrent de hautes fenêtres qui s'élèvent jusqu'à l'armature de la voûte. Le transept a été bâti sur des éléments romans, tels que les murs et les colonnes, surmontées de colonnettes plus fines datant du XIVe siècle. La tour du croisillon sud a été conservée ; celle du croisillon nord a fait place à une grande baie.

Les vitraux de la cathédrale du Mans sont tout à fait remarquables, en particulier le vitrail du XIIe siècle, dit de l'Ascension, à la deuxième fenêtre du bas-côté droit. D'autres vitraux de même époque ornent les fenêtres de la nef. Les fenêtres du déambulatoire et les fenêtres hautes du chœur sont décorées d'une belle suite de vitraux du XIIIe et aux fenêtres du transept on admirera des verrières un peu plus tardives représentant entre autres le Jugement dernier, Abraham, Noé, Moïse, David et les Apôtres. De belles tapisseries du XVIe siècle relatant les légendes de saint Julien, saint Gervais et saint Protais sont exposées pendant une grande partie de l'année. La chapelle des fonts baptismaux contient deux magnifiques tombeaux en marbre de style Renaissance : celui de Charles IV d'Anjou, comte du Maine, mort en 1472, où se retrouve l'influence italienne et celui de Guillaume du Bellay, évêque du Mans et frère du poète Joachim du Bellay. Pour ne pas être l'une des très grandes cathédrales de France Saint-Julien du Mans n'en présente pas moins comme un résumé de l'architecture religieuse du Moyen Age.

Ci-dessus :
Dans ses «Notes de voyage dans l'ouest de la France», Prosper Mérimée écrivait : «Saint-Julien, cathédrale du Mans, est un noble édifice qui mérite toute l'attention de l'antiquaire. Son architecture présente d'abord deux styles bien tranchés ; la nef est romane, le chœur gothique.» En effet, la nef,

voûtée d'ogives, fut construite de
1150 à 1158 et le chœur de 1217
à 1254. Le croisillon sud du
transept date du XIXᵉ siècle et le
croisillon nord du siècle suivant.
Mérimée ajoutait, avec beaucoup
de finesse : «En passant de la nef
dans le chœur, l'impression qu'on
éprouve, c'est, si je puis
m'exprimer ainsi, c'est qu'on

quitte le temple d'une religion
ancienne, pour entrer dans celui
d'une religion nouvelle. Ces
chapiteaux couverts de monstres,
d'animaux fantastiques, de
masques hideux, semblent les
ornements d'un culte barbare,
tandis que ces feuillages variés de
mille manières, ces vitraux aux
couleurs harmonieuses, donnent

l'idée d'une croyance douce et
bienveillante.» Malgré la
juxtaposition des deux grands
styles de l'architecture religieuse,
l'unité a été conservée. La façade
romane de la nef ne jure en
aucune façon avec le chevet du
chœur gothique qui déploie ses
chapelles absidiales et ses
magnifiques arcs-boutants.

Ci-contre, en haut et en bas :
La cathédrale Saint-Julien du Mans possède de belles tapisseries du début du XVIe siècle. La plus belle est la tenture de saint Gervais et saint Protais, constituée de cinq grandes tapisseries d'un mètre cinquante de haut et d'une longueur totale de trente mètres. Saint Gervais et saint Protais vivaient à Milan, sous Néron. Convertis par le martyr de leurs parents, ils furent l'un fouetté à mort, le second décapité.
La Mise au Tombeau, qui date du XVIIe siècle, provient de l'ancien couvent des Cordeliers. Elle ne saurait nous faire oublier le tombeau de la reine Bérangère, femme de Richard Cœur de Lion.

Ci-dessus :
Moins bien conservés que les vitraux de Chartres, les vitraux du Mans ne leur cèdent en rien pour la vivacité des couleurs et l'harmonieuse combinaison de leurs teintes variées. La plupart datent du XIIIe siècle. Mérimée était tenté de regarder les verrières des bas-côtés du chœur comme les plus anciennes. Il leur trouvait des tons moins éclatants, bleu ou pourpre foncé, «tandis que le rouge clair et le jaune éblouissent les yeux lorsqu'on les lève vers la haute voûte du chœur». A la deuxième fenêtre du bas-côté droit, le vitrail de l'Ascension s'apparente, par son style, aux miniatures du pays manceau. C'est l'un des plus anciens : XIIe siècle.

83

Metz

Verlaine naquit à Metz : «Et de Metz ecclésiastique, nulle remembrance que celle, bien vague, de la bizarre cathédrale au bord de l'eau, dont j'ai encore les vitraux très harmonieux dans les yeux», écrit-il dans ses souvenirs d'enfance.

Vieille cité gauloise, Metz devint le siège d'un évêché au IIIe siècle, même si la légende veut que Saint Clément, qui fut ordonné par Saint Pierre et pape de 88 à 97, en fut le premier évêque. Capitale de la tribu des Médiomatrices, Metz était, au temps de la domination romaine, une ville très importante, qui fut dévastée en 406 par les Vandales, puis, en 451, par les Huns. Un sanctuaire dédié à Saint Étienne, et qui se trouvait à l'emplacement actuel de la cathédrale, fut le seul monument épargné par les Barbares. Après la mort de Clovis, en 511, Metz devint, sous le nom de Mettis, la capitale de l'Austrasie mérovingienne, puis le berceau de la dynastie des Carolingiens. En 843, elle passa aux mains de Lothaire, d'où le nom de Lotharingie, puis de Lorraine. Ses évêques la sauvèrent de l'invasion normande et elle devint cité épiscopale. Entre 965 et 984, l'évêque Thierry Ier entreprit d'agrandir le sanctuaire primitif, qui fut achevé sous son successeur et consacré en 1040. Il subsiste de cette basilique la partie occidentale d'une crypte à trois vaisseaux. Plusieurs sanctuaires se trouvaient entourer la cathédrale dédiée à Saint Étienne, qui formaient comme un second lieu de culte, désigné sous le nom de Notre-Dame la Ronde. C'est au début du XIIIe siècle que les chapitres des deux églises — Saint-Étienne et Notre-Dame — se mirent d'accord pour les réunir, leurs axes formant un angle droit. En 1220, l'évêque Conrad de Scharfenberg entreprit la construction d'une nef. Mais il fallut attendre encore une trentaine d'années et Jacques de Lorraine pour que les travaux avancent véritablement. C'est la quatrième travée de la cathédrale actuelle, correspondant à la première de l'édifice primitif, qui fut tout d'abord construite et, vers la fin du XIIIe siècle, la nef était à peu près achevée. En 1380, on abattit le mur qui séparait encore les deux églises. La chapelle des évêques fut rebâtie entre 1440 et 1444 par l'architecte Jean de Commercy et, entre 1478 et 1481, le dernier étage de la façade et la flèche de la tour de Mutte, ancien beffroi municipal, furent construits par Jean de Ranconval. On avait laissé subsister, jusqu'à la fin du XVe siècle, une partie de l'église primitive et ce n'est qu'au tout début du XVIe siècle que furent définitivement achevés les deux bras du transept et le chœur. On peut dire que si la majeure partie de Saint-Etienne de Metz fut construite de 1250 à 1380 environ, c'est-à-dire à l'apogée de l'art gothique, l'ensemble ne fut terminé que bien plus tard. Au XVIIIe siècle, le maréchal de Belle-Isle, gouverneur de la ville, fit abattre un certain nombre de constructions qui s'appuyaient au flanc sud de la cathédrale et la façade sud fut cachée par une galerie d'arcades que l'on maintint jusqu'au Second Empire. Le portail de la façade ouest fut remplacé en 1903 par un portail néo-gothique dû à l'architecte Tornow, qui avait également refait les toitures après l'incendie de 1877.

Saint-Etienne semble dominer toute la ville comme un gigantesque paquebot, que l'on pourrait aussi comparer à une châsse. Les deux clochers s'élèvent à la quatrième croisée des collatéraux et paraissent moins hauts depuis qu'à la fin du XIXe siècle on décida de surélever le faîte de la toiture de quatre mètres cinquante. Saint-Etienne de Metz n'est pas très riche en statuaire. Il n'en subsiste guère d'intéressante qu'à l'ancien portail de Notre-Dame la Ronde, dont les bas-reliefs des soubassements remontent au XIIIe siècle. Au portail de la Vierge, on peut encore voir un tympan principal qui illustre la mort et le couronnement de la Vierge et qui date de la première moitié du XIIIe siècle. Les autres sculptures sont modernes.

Les trois premières des huit travées de la nef correspondent à l'ancienne église Notre-Dame la Ronde. Les grandes arcades reposent sur des piliers ronds à quatre colonnes et sont surmontées d'un triforium. Leur hauteur (douze mètres cinquante) se prolonge par les fenêtres hautes (dix-neuf mètres) et laisse entrer à profusion la lumière dans un nef qui est l'une des plus hautes de France : quarante-deux mètres. A cause d'une très forte déclivité du terrain vers l'Est, le chœur n'est pas très profond. Il est formé d'une seule travée terminée par l'abside, entourée d'un déambulatoire à trois chapelles rayonnantes.

Les vitraux de Saint-Étienne de Metz sont parmi les plus beaux ensembles que l'on puisse voir. Ils couvrent pratiquement toute l'histoire du vitrail, du XIIIe au XXe siècle et reflètent bien la double nature de l'histoire de la ville qui, au cours des siècles, passa tantôt aux mains des Allemands et aux mains des Français. Il faut tout d'abord citer les panneaux des XIIIe et XIVe siècles, aux fenêtres basses du croisillon sud et des collatéraux, ceux de Hermann, un maître-verrier westphalien, mort en 1392, pour la grande fenêtre de la façade ouest, ceux des trois fenêtres hautes occidentales du côté nord (milieu du XVe siècle), enfin ceux du croisillon nord relatant des vies de saints et de la grande verrière nord où l'on peut voir, en trois registres superposés, des figures d'apôtres, de saints et de saintes : ils datent du début du XVIe siècle. Mais c'est un autre maître-verrier, l'un des plus importants de la Renaissance, qui a laissé son nom attaché à la cathédrale de Metz, dont il fut à partir de 1520 le maître-verrier attitré : Valentin Busch, originaire de Strasbourg, qu'il dut fuir à cause des persécutions de la Réforme. A l'inverse de nombre de ses contemporains, il ne se laissa pas entraîner à peindre sur verre et demeura fidèle à l'ancienne tradition gothique. Il semble qu'il ait subi une légère influence italienne, même s'il préfère toujours les grands personnages isolés aux paysages. Les verrières qu'il a exécutées pour Saint-Étienne de Metz montrent son talent dans le portrait, qu'il s'agisse des bustes des premiers Pères de l'Église dans le remplage du transept sud ou des images de cohortes de saints dans la partie principale du vitrail. L'effet est obtenu par un prodigieux usage du détail, notamment dans les vêtements : c'est ainsi que dans les chapes des évêques des vitraux du transept sud, les images d'autres saints apparaissent brodées. Malgré sa conception médiévale du vitrail, Busch laisse apparaître quelques traits de la Renaissance, comme le montre l'aspect de chair naturelle du visage de ses saints. Il aime les niches en coquille et les végétations exotiques et ne déteste pas l'humour. On peut voir, par exemple, dans les verrières du transept sud, à côté des évêques, une foule de chérubins musiciens qui se livrent à des exercices acrobatiques dans les feuillages.

Après la seconde guerre mondiale, on fit appel à des peintres contemporains, tel Chagall, pour la restauration des verrières.

Ci-contre et pages suivantes :
C'est au XIIIe siècle que les chapitres de l'ancienne église Notre-Dame la Ronde et de la nouvelle église Saint-Étienne décidèrent de réunir les deux églises sous un même toit. Les travaux se terminèrent par la construction du transept et du chœur, au début du XVIe siècle. En 1768, l'architecte Jacques-François Blondel édifia, sur la façade occidentale, un porche monumental dans l'esprit classique. Il fut malheureusement remplacé en 1898 par un porche néo-gothique. Dominant les toits de la ville, Saint-Étienne de Metz ressemble à une châsse carolingienne. Au nord, la tour de Mutte, ancien beffroi municipal, abrite la cloche de Mutte, «cette grosse voix du bon Dieu», comme disait Verlaine. De très belle verrières décorent la cathédrale de Metz : elles couvrent toute l'histoire du vitrail, du XIIIe siècle à nos jours. La cathédrale ayant été mutilée pendant la dernière guerre, on fit appel à des artistes modernes : c'est ainsi que Jean Cocteau décora l'une des fenêtres hautes de la nef, Jacques Villon la chapelle des évêques. Bissière et Chagall apportèrent aussi leur contribution dans le déambulatoire et le transept. La nef de Saint-Étienne de Metz, avec ses quarante-deux mètres d'élévation, est l'une des plus hautes de France. Les collatéraux y sont très bas, mais la hauteur des grandes arcades (près de treize mètres) et celles des claires-voies (dix-neuf mètres) accentuent encore cette impression de hauteur. Au-delà des huits travées de la nef, dont les trois premières correspondent à l'ancienne église de Notre-Dame la Ronde, le chœur, même s'il n'est pas très profond et de construction plus tardive, confirme parfaitement la noblesse de l'ensemble. Les fenêtres hautes du chœur et de l'abside sont l'œuvre de Valentin Bousch.

Ci-contre :
Le portail de Notre-Dame la
Ronde a perdu ses sculptures
pendant la Révolution.
Des compartiments représentent
des scènes tirées de la Bible ou de
l'histoire des saints et, dans des
losanges, on peut voir tout un
monde d'animaux fantastiques et
de personnages fabuleux.

90

Ci-dessus :
Il ne subsiste plus grand chose de la statuaire de Saint-Étienne de Metz. Les sculptures du portail de la Vierge datent pour la plupart du siècle dernier. Il ne reste d'authentique que lé tympan principal et deux tympans aveugles. *Le premier remonte au milieu du XIII⁰ siècle : il relate en trois registres la mort et le couronnement de la Vierge. On l'attribue au Maître de Naumburg. Les deux tympans aveugles relatent des scènes de la Passion.*

Nantes

Capitale de l'ancien peuple gaulois des Namnètes, Nantes fut la résidence ordinaire des rois de Bretagne à la fin de l'époque romaine et durant l'époque mérovingienne. Elle s'appelait *Namnetis* et fut conquise par les Romains en 55 avant J.-C. Au IIe siècle de notre ère, un disciple de Saint Lin, Saint Clair, y apporta l'évangile. Mais c'est avec le martyr de ceux qu'on a appelé les «enfants nantais», Donatien et Rogatien, que commence véritablement ici l'histoire du christianisme. Dès le IVe siècle, date à laquelle Saint Clair avait apporté un clou provenant de la crucifixion de Saint Pierre, une première église avait été construite. Elle fut remplacée par une église pré-romane due à l'évêque Eumélius II. Au début du Ve siècle, les évêques affirmèrent leur autorité sur la ville et Saint Colomban, en route pour l'Irlande y aborda à la suite d'une tempête. Saint Félix, qui fut évêque de 549 à 582, sut gagner la confiance de Clotaire III, alors maître de Nantes. Il sut donner à la nouvelle église toute sa splendeur, à tel point que Fortunat, évêque de Poitiers et l'un des derniers poètes latins put s'adresser à lui en ces termes : «Salut assuré de la patrie, Félix, heureux par l'espoir, par le nom, par le cœur, toi par qui l'ordre sacerdotal brille de tant d'éclat, tu rends aux terres ce que le droit public réclamait en leur apportant à notre époque les joies du passé». Et ailleurs, évoquant plus précisément la cathédrale : «Haute s'élève la triple nef dédiée à Dieu et aux apôtres. Au milieu s'élève une tour élancée. Carré, l'édifice se poursuit en forme de rotonde. On dirait d'une forteresse...» On s'accorde à dire que cette cathédrale primitive était somptueusement décorée. Mais, en 843, les Vikings occupèrent et dévastèrent la ville et saint Gohard fut assassiné dans sa cathédrale. Les Normands revinrent à plusieurs reprises et, en 919, la cathédrale fut incendiée. C'est alors qu'Alain Barbe-Torte délivra la Bretagne. Sous l'épiscopat de Benoit de Cornouailles (1072-1112) une nouvelle cathédrale fut construite. Il y avait une nef principale couverte de coupoles, des bas-côtés, un transept avec deux absides, un chœur avec déambulatoire et chapelles rayonnantes, bref une cathédrale complète. A la croisée du transept, s'élevait une tour carrée surmontée d'une flèche. Elle brûla en 1415 et fut reconstruite en pierre. La plus grande partie de cette cathédrale subsista jusqu'au XIXe siècle ! Pendant la guerre de Cent ans, la Bretagne fut tenue à l'écart des exactions et des désastres. Son duc était alors Jean V, dit le Vaillant, qui, grâce à la victoire d'Auray et au traité de Guérande en 1365 se vit assurer le pouvoir en Bretagne. C'est en avril 1434, sous l'épiscopat de Jean de Malestroit, que le duc posa la première pierre d'une nouvelle cathédrale. Guillaume de Dommartin en avait établi les plans. Avant sa mort, en 1458, la façade s'élevait environ à mi-hauteur. Son successeur, Mathelin Rédier, en fut le maître d'œuvre jusque vers 1480. Puis, Jean Le Maître et Jacques Drouet prirent la relève. Le premier acheva la façade et construisit les portails relatant des épisodes de la vie de saint Pierre et de saint Paul. Il termina aussi les tours. Le manque de moyens financiers vint alors interrompre les travaux. Néanmoins, à la fin du XVe et au début du XVIe siècle, furent construits le collatéral méridional, les chapelles nord et sud ; le collatéral septentrional est un peu plus tardif. On reconstruisit alors la nef romane, qui ne fut pas voûtée. Il fallut attendre le règne de Louis XIII pour que les travaux puissent reprendre. Ce fut à l'occasion d'une visite royale à Nantes en 1626. La nef fut alors voûtée et l'on construisit le bras méridional du transept, ainsi que les deux travées du bas-côté sud du chœur. C'est à Tugal Caris, architecte originaire de Laval, que l'on doit d'avoir réuni par une balustrade les deux galeries du transept méridional. Les travaux traînèrent en longueur. En 1773, on transforma le chœur ; puis, pendant la Révolution, la cathédrale fut transformée en écurie. En 1802, elle fut rendue au culte. Deux décennies plus tard, furent ajoutés le chœur et les chapelles rayonnantes. L'abside ne fut terminée qu'en 1891. En juin 1944, les bombardements détruisirent une partie de l'édifice. Sa restauration dura une dizaine d'années. Puis, le 28 janvier 1972, un terrible incendie endommagea gravement la cathédrale Saint-Pierre. Les charpentes furent détruites et une bonne partie de l'intérieur de la nef fut dévastée. Ce n'est que vers 1985 que les dégâts pourront être entièrement réparés.

A la façade occidentale, nous voyons trois portails : celui du centre est consacré à la Vierge, avec la résurrection des morts, l'enfer et le paradis. Les sculptures du portail de droite relatent des scènes de la vie de Saint Paul et celles du portail de gauche des scènes de la vie de Saint Pierre. En retour d'équerre, les deux autres portails sont consacrés à saint Yves et à saint Donatien et saint Rogatien, les «enfants de Nantes». La façade centrale est formée de trois galeries, avec une grande fenêtre au centre. Il subsiste peu de statues et de bas-reliefs, à cause de la fragilité de la pierre dont fut construite la cathédrale, le climat d'ouest, pluvieux et venteux, exerçant une permanente érosion. Les cinq travées de la nef sont précédées d'un porche et accompagnées de bas-côtés bordés de chapelles. La longueur totale est de cent deux mètres et la largeur de trente-huit mètres cinquante. La hauteur sous voûte est de trente-sept mètres cinquante. L'intérieur de la cathédrale est particulièrement riche. Certains vitraux datent du XVe siècle et sont probablement dus à l'atelier de Jean de la Chasse. C'est le cas du vitrail de la façade occidentale qui représente, à gauche, Anne de Bretagne couronnée de lys d'or et présentée par sa sainte patronne et à droite, Marguerite de Foix, sa mère, portant la couronne de Bigorre et protégée par sainte Marguerite, sa patronne. Mais le chef-d'œuvre du mobilier de la cathédrale est incontestablement le tombeau de François II, duc de Bretagne, qui mourut en 1488 et de Marguerite de Foix. Il fut sculpté entre 1502 et 1507 par Michel Colombe. C'est un groupe en marbre polychrome, blanc, noir et rose. Trois anges soutiennent les têtes du duc et de la duchesse, un lion et un lévrier sont couchés à leurs pieds. Aux angles, quatre statues représentent les Vertus cardinales : la Justice, la Force, la Tempérance et la Prudence. C'est là un des chefs-d'œuvre de la sculpture de la Renaissance, en France. Il faut encore noter la cénotaphe du général Lamoricière, dans le bras septentrional du transept.

Le chœur, le déambulatoire et les chapelles rayonnantes n'ont pas encore été rendues au culte, mais ici encore, comme dans tant d'autres cathédrales, les perpétuelles restaurations sont la marque de la mouvance des cieux atlantiques et de l'inconstance des hommes.

Ci-contre :
*François II, duc de Bretagne,
avait épousé en secondes noces
Marguerite de Foix, qui lui
donna pour fille Anne de
Bretagne et mourut en 1488.
Anne, pour honorer ses parents,
décida que les gisants
représenteraient son père et sa
mère.*

94

Ci-dessus :
Si la façade occidentale de Saint-Pierre de Nantes, et ses tours, datent du début du XVe siècle, la nef ne fut édifiée qu'au XVIe et le transept au cours des trois siècles qui suivirent. Le chœur et le chevet datent de la seconde moitié du XIXe siècle.

Pendant la Révolution, la cathédrale avait servi d'écurie et ce n'est que lorsqu'elle fut rendue au culte, en 1802, qu'on décida de la terminer. D'autre part, l'une des poudrières du château voisin avait explosé deux ans auparavant et les réparations étaient devenues urgentes. Malgré

les siècles qui les séparent, on peut affirmer que les deux éléments les plus remarquables de l'édifice sont la façade occidentale avec son porche central consacré à la Vierge et ses deux porches latéraux, l'un consacré à saint Paul et l'autre à saint Pierre, et le chevet.

Orléans

Curieux destin que celui de la cathédrale Sainte-Croix d'Orléans, mais ni plus ni moins que celui des autres cathédrales ! Elle existait dès le IVe siècle et fut en fait presque entièrement construite aux XVIIe et XVIIIe. La ville s'appela tout d'abord *Genabum,* puis *Aurelianum,* avant de devenir Orléans. En 52 avant J.-C., elle opposa une farouche résistance aux troupes romaines de César. Avant de devenir un diocèse à part entière, elle était rattachée à celui de Chartres et ce n'est qu'au IIIe siècle que les deux cités se séparèrent. Le patron d'Orléans, Saint Aignan, eut, en 451, à défendre la ville contre les Huns d'Attila. Il semble toutefois que la région aurait été évangélisée dès le Ier siècle de notre ère par Saint Altin, martyr de Sens et le premier évêque connu avait nom Diclopetus : il vivait au IVe siècle. Il existait déjà, à cette époque, une église primitive, à laquelle succéda une église carolingienne, dont on retrouve quelques vestiges sous le chœur actuel : c'est la basilique de Saint Euverte, où Charles le Chauve fut sacré roi en 841. A deux reprises, en 855 et en 895, les Normands ravagèrent Orléans et, en 989, à la suite d'un incendie, l'évêque Arnou dut faire reconstruire son église, avec l'aide de Hugues Capet et de son fils Robert le Pieux. Quelques parties de ce sanctuaire pré-roman subsisteront jusqu'au XVIIe siècle. Il comprenait, pense-t-on, une nef avec doubles collatéraux surmontés de tribunes, un chœur avec piliers à colonnes. Deux siècles plus tard, fut ajoutée une façade avec des tours.

La cathédrale, la dernière en date des grandes cathédrales gothiques, telle que nous la connaissons, fut commencée à la fin du XIIIe siècle. En 1287, l'évêque Gilles Pasté posa la première pierre d'un chevet à neuf chapelles, avec une chapelle absidiale plus profonde que les autres. Le chœur à six travées fut construit au XIVe siècle. On peut encore en voir un portail, au flanc nord de la cathédrale. Les travaux durent être interrompus pendant la guerre de Cent Ans. Assiégée par les Anglais, Orléans fut délivrée par Jeanne d'Arc, le 8 mai 1429. C'était un dimanche et Jeanne, par la voix de Charles Péguy, enfant d'Orléans, disait :

Mon Dieu, la bonne ville ! ô Dieu les bonnes gens !...
Votre gloire a passé dans la ville du siège,
Et les Orléanais, debout au seuil des portes,
Acclamaient la bonté de Celui qui protège
Et chantaient votre gloire au chant de leurs voix fortes...

A la fin du XVe siècle, sous l'épiscopat de François de Brilhac, le transept fut surmonté d'une flèche et les quatre dernières travées de la nef furent terminées. Mais, dès 1535, les guerres de religion dévastèrent la cathédrale et, en 1568, les soldats du prince de Condé minèrent les quatre piliers du transept. Dans l'explosion et l'incendie qui suivit, la flèche s'écroula et l'édifice menaça ruine. En 1594, la cité se soumit à Henri IV et il fallut attendre 1599 pour que le roi accordât les crédits nécessaires à la reconstruction de Sainte-Croix. Certaines parties purent être sauvées, notamment quelques travées de la nef et la toiture. En 1601, Henri IV et Marie de Médicis posèrent la première pierre des travaux de restauration et, en 1623, le chœur était terminé. Ce sont les travaux de la façade qui prirent ensuite le plus de temps. En 1767, l'évêque de Jarante en fit entreprendre la construction. Il existait un projet de Jacques-Jules Gabriel, le père de l'architecte de la place de la Concorde, qui fut alors repris par Trouard et enfin à l'issue des travaux de François Pagot la cathédrale fut achevée en 1829 pour le quatrième centenaire de la libération de la ville par Jeanne d'Arc !

Une façade de quarante mètres de hauteur et large de cinquante-quatre mètres, trois travées surmontées de clochetons, trois portails, trois rosaces surmontées par un étage d'arcades, tel est l'essentiel du monument. Il faut y ajouter les deux tours de trois étages chacune et d'une hauteur de quatre-vingt-un mètres. Le premier étage est percé d'une grande fenêtre surmontée par une accolade, suite de courbes couronnant les linteaux des fenêtres. Le deuxième étage est rectangulaire ; le troisième, circulaire, est entouré de colonnettes et de quatre statues d'anges. Le résultat est une interprétation assez libre des grandes cathédrales gothiques. Armand Lanoux ne s'est pas montré tendre envers cette cathédrale «commencée et finie trop tard», qui ressemble «à ces dentelles de papier dont se servent les pâtissiers.»

L'intérieur évoque plutôt le style du Grand Siècle, avec ses cent trente-six mètres de longueur totale. C'est une impression de solennité qui saisit le visiteur, avec trente-trois mètres de hauteur sous voûte. Tout au bout de l'immense nef, le maître-autel semble minuscule. L'abside, avec ses chapelles du XIIIe siècle, correspond au chevet orné d'innombrables clochetons et confirme encore l'impression d'immensité. La décoration intérieure est loin de laisser insensible. On s'attardera, dans la chapelle absidiale, au retable du XVIIe siècle qui entoure une belle Vierge de Pitié, aux médaillons qui décorent les stalles du chœur et qui, sculptés de 1702 à 1706 par un élève de Gabriel, retracent des épisodes de la vie du Christ et au buffet des grandes orgues du XVIIe siècle provenant de la basilique de Saint Benoît et transportées ici en 1829.

Des vestiges du sanctuaire primitif du IVe siècle et de l'église romane du XIe subsistent dans la crypte, notamment quatorze piliers, un rond-point entouré d'un déambulatoire et de chapelles et quelques fragments de mosaïques. Le Trésor mérite également une visite : on y verra divers attributs sacerdotaux dont certains remontent au XIe siècle. Cela suffirait à prouver que Sainte-Croix d'Orléans, malgré les apparences, a un long passé derrière elle.

Pages suivantes :
Certes, c'est en 1287 que l'évêque Gilles Pasté posa la première pierre de la cathédrale Sainte-Croix d'Orléans. Mais elle fut incendiée sous la Réforme et c'est Henri IV qui en ordonna la reconstruction. Celle-ci s'étendit sur deux siècles. Une partie du vaisseau date du XVIIe siècle, la façade et les tours de la fin du XVIIIe, la flèche actuelle, qui s'élève à 114 mètres, du Second Empire. C'est la dernière en date des cathédrales gothiques. On a même pu dire qu'elle était «une cathédrale gothique réédifiée par les Bourbons» ! L'édifice actuel date véritablement du 18 avril 1601, jour où Henri IV et Marie de Médicis en posèrent la première pierre. Il fut achevé le 8 mai 1829, pour le quatrième centenaire de la délivrance d'Orléans par Jeanne d'Arc. L'intérieur est de vastes proportions et la nef d'une belle sobriété. Avec ses deux tours, hautes de quatre-vingt-deux mètres, dressées sur un ciel d'orage, Sainte-Croix d'Orléans ne mérite pas les réflexions désobligeantes qu'on lui adresse parfois. D'ailleurs, les vestiges du sanctuaire du IVe siècle et de l'église romane du Xe qui subsistent dans sa crypte suffisent à lui conférer authenticité.

Ci-dessus et page en regard :
Une façade de quarante mètres
de hauteur, trois travées
surmontées de clochetons, trois
portails, trois rosaces surmontées
par un étage d'arcades, ainsi se
décompose la cathédrale
d'Orléans. Il faut y ajouter les
deux tours de trois étages chacune
construites à la fin du
XVIIIᵉ siècle par Louis-François

Trouard, d'après un projet de
Gabriel le père. Le premier étage
de chaque tour est percé d'une
grande fenêtre surmontée d'une
accolade. Le deuxième est
rectangulaire. Le troisième,
circulaire, avec ses colonnettes et
ses statues d'anges évoquait pour
Armand Lanoux les dentelles de
papier dont se servent les
pâtissiers. L'intérieur de

Sainte-Croix possède à peu près
les mêmes dimensions que
Notre-Dame de Paris. Les
verrières n'ont rien
d'exceptionnel, étant données les
péripéties subies par la
construction de la cathédrale.
Mais on admirera les stalles du
chœur, belles boiseries sculptées
au début du XVIIIᵉ siècle et le
buffet des grandes orgues.

Paris

A la pointe orientale de l'île de la Cité, les bateliers de Lutèce avaient élevé, dès le Iᵉʳ siècle, un temple à Jupiter. On en retrouva des vestiges au début du XVIIIᵉ siècle! Puis, au IVᵉ siècle, les Chrétiens édifièrent à cet emplacement une basilique que Childebert Iᵉʳ fit reconstruire du temps où il était roi de Paris, vers 511. L'histoire des cathédrales est une véritable tapisserie de Pénélope! Cette église fut dédiée à saint Étienne et on construisit, peu après, une deuxième église, que l'on dédia à sainte Marie, c'est-à-dire Notre-Dame. Elle fut incendiée lors de l'invasion normande et reconstruite vers 857. L'archidiacre Étienne de Garlande, prévôt de Paris, fit effectuer réparations et embellissements. En 1160, Maurice de Sully succéda à Pierre Lombard comme évêque de Paris. Né à Sully-sur-Loire, il avait fait des études de théologie à Paris, puis avait été nommé chanoine de Bourges. Il décida d'agrandir l'église. La première pierre du nouvel édifice fut posée en 1163 par le roi Louis-VII et le pape Alexandre III venu spécialement à Paris pour consacrer le chœur de saint Germain-des-Prés. En 1177, le chœur de Notre-Dame était achevé et commencée la sculpture des portails de la façade. Ceux-ci seront terminés en 1208. La construction de la nef, entreprise dès 1180, sera à peu près terminée quinze ans plus tard. Mais, dès le 19 mai 1182, le maître-autel de la cathédrale avait été consacré. Vers 1220, la façade s'élevait jusqu'à la rosace. Les chapelles des bas-côtés furent construites entre 1230 et 1240. Dix ans plus tard furent achevées celles du croisillon nord et, en 1258, celles du croisillon sud. La tour méridionale fut élevée entre 1225 et 1240, la tour nord et la galerie, entre les deux, entre 1235 et 1250.

Le nom de l'architecte primitif de Notre-Dame de Paris ne nous est pas parvenu. Mais nous savons que Jean de Chelles prit une part active aux travaux et que Pierre de Montreuil, qui mourut en 1262, lui succéda : il acheva croisillons et chapelles. Celles qui sont situées autour du chœur sont un peu plus tardives : elles furent construites entre 1296 et 1320 par Pierre de Chelles, puis par Jean Ravy qui dressa les arcs-boutants du chœur. On peut affirmer que, vers 1363, la cathédrale est terminée. Raymond du Temple en fut le dernier maître d'œuvre.

Notre-Dame de Paris traversa les siècles sans grande histoire jusqu'au règne de Louis XIV. A la naissance de celui-ci, en 1638, Louis XIII décida de «reconstruire le Grand Autel de l'église cathédrale de Paris». En 1699, Louis XIV confia donc à Robert de Cotte, l'architecte du dôme des Invalides, de la chapelle du château de Versailles et de l'église Saint-Roch, le soin de procéder aux aménagements souhaités. C'est ainsi que furent supprimés le jubé, les stalles et le maître-autel, derrière lequel on installa une statue de Louis XIII par Guillaume Coustou et une autre, de Louis XIV, par Coysevox. Les colonnes gothiques furent plaquées de marbre, les murs intérieurs furent badigeonnés de blanc et les vitraux remplacés par des verrières blanches. En 1771, afin de permettre le passage du grand dais de cérémonie, lors des processions, Soufflot détruisit en partie le portail central. Il brisa la statue du Beau Dieu, celles des Vierges qui ornaient les montants du porche et supprima du tympan la Résurrection des Morts. Pendant la Révolution, plus de trois cent soixante sculptures furent abattues, parmi lesquelles les vingt-huit statues de rois qui ornaient la galerie du premier étage de la façade. On en retrouvera une partie près de deux siècles plus tard, en 1977, lors de fouilles effectuées rue de la Chaussée d'Antin ! Pour l'heure, la cathédrale devint entrepôt de vins, puis Temple de la Raison. Comme la plupart, elle sera rendue au culte en 1802, après la signature du Concordat. Elle était alors dans un état lamentable. En 1831, parut le livre de Victor Hugo intitulé *Notre-Dame de Paris*. Il y écrivait : «Sans doute c'est encore aujourd'hui un majestueux et sublime édifice que l'église de Notre-Dame de Paris. Mais, si belle qu'elle se soit conservée en vieillissant, il est difficile de ne pas soupirer, de ne pas s'indigner devant les dégradations, les mutilations sans nombre que simultanément le temps et les hommes ont fait subir au vénérable monument, sans respect pour Charlemagne qui en avait posé la première pierre, pour Philippe-Auguste qui en avait posé la dernière.» C'est sans doute après avoir lu ces lignes que Louis-Philippe par un décret pris en 1844, demanda aux architectes Jean-Baptiste Lassus (1807-1857) et Viollet le Duc de restaurer la cathédrale. Celui-ci fit beaucoup plus : il la sauva. Il érigea notamment la flèche et fit descendre le long du toit méridional les trois apôtres majestueux en cuivre vert-de-grisé dans leur attitude insolite.

De combien de cérémonies Notre-Dame de Paris fut-elle le décor ? Il serait impossible de les énumérer. En 1239, saint Louis, pieds nus, y porta, posée sur un brancard la couronne d'épines offerte par l'empereur de Constantinople et la déposa sur l'autel. En 1594, Henri IV converti y pénétra au milieu d'une foule enthousiaste. En 1660, y fut célébré le mariage de Louis XIV et de Marie-Thérèse. Le 2 décembre 1804, ce fut le sacre de Napoléon, en 1811 le baptême du roi de Rome, en 1853 le mariage de Napoléon III. Et puis, de Barrès à Claudel (qui y reçut la foi), de Joffre à Leclerc, les funérailles nationales. Enfin, le 26 août 1944, ce fut la cérémonie de la Libération de Paris et, le 9 mai 1945, le *Te Deum* de la Victoire.

Notre-Dame de Paris possède cinq grands portails, dont trois à la façade principale et deux aux extrémités du transept. La façade occidentale, celle du parvis fut édifiée, nous l'avons vu, de 1200 à 1250. Ce furent tout d'abord les portails et la galerie des Rois, puis l'étage de la grande rosace, la galerie haute et enfin les tours. La largeur totale est de quarante et un mètres et la hauteur de quarante-trois mètres. Le bâtiment serait donc presque carré si ses deux tours ne s'élevaient, elle, à soixante-trois mètres de haut. Chaque étage est marqué de belles lignes horizontales, galerie des Rois, puis galerie ajourée au-dessus de la rosace et des fenêtres, qui semble rythmer l'élévation de la cathédrale. Le portail de gauche, ou portail de la Vierge, fut le premier exécuté. Au tympan, trois prophètes et trois rois, la Résurrection de la Vierge et son Couronnement. Dans les voussures, toute une cour d'anges et de rois semble assister au triomphe de Marie. Le portail de droite est le portail de Sainte Anne, avec, au trumeau, une statue de saint Marcel foulant aux pieds le dragon. On peut y voir aussi un roi et un évêque qui pourraient être les fondateurs de Notre-Dame, c'est-à-dire Louis VII et Maurice de Sully. Enfin, le portail central, ou portail du Jugement, comme très souvent dans les cathédrales gothiques, a sept mètres de haut. Au tympan, la scène du Jugement et la Résurrection des morts. Ce portail, comme on l'a

Le croisillon sud du transept de Notre-Dame de Paris fut commencé en 1258 par Jean de Chelles et terminé par Pierre de Montereau. C'est ici que s'ouvre le portail Saint-Etienne, sur les verdures du square Jean XXIII. Pour construire la cathédrale, il avait fallu abattre une très ancienne petite église vouée à saint Etienne et, pour que le souvenir n'en soit pas perdu, le bas-relief du tympan du portail sud, qui s'élève justement à l'endroit où se trouvait l'église, fut dédié à saint Etienne et à son martyre. Comme la plupart des statues de Notre-Dame de Paris, la statue de saint Etienne qui se trouve au trumeau est moderne. Mais le tympan de ce portail est tout-à-fait remarquable par la vérité de ses scènes. Au registre intérieur, la prédication de saint Etienne, son arrestation et sa condamnation; au second registre, sa lapidation et son inhumation; au registre supérieur, le Christ reçoit saint Etienne au paradis. Aux ébrasements, on peut voir de nombreux saints et, aux voussures, des anges et des martyrs. Il faut prêter attention, au bas des contreforts du croisillon, aux huit petits bas-reliefs qui illustrent des scènes de la rue et de la vie des étudiants au XIIIe siècle. Certes, l'évêque était le chef de l'Université. Mais Emile Mâle y voit plutôt des chapitres de la vie d'un saint qu'on n'a pu reconnaître. Quoi qu'il en soit, ce sont des scènes charmantes : des chiens aboient et courent après des enfants pour leur voler un morceau de gâteau...

dit, a beaucoup souffert au cours des siècles et nombre de ses statues, notamment le Christ du trumeau datent du XIXe siècle. Au-dessus de ce portail et de la galerie des Rois reconstituée par Viollet le Duc, se trouve la grande rosace. Elle date de 1220-1225 et mesure neuf mètres soixante de large; c'est l'une des plus grandes de l'époque. Elle représente les travaux du calendrier et les signes du zodiaque, les Vertus et les Vices et, au centre, la Vierge. Elle est flanquée de doubles fenêtres encadrées par un grand arc de décharge. Une galerie à jour faite d'arcatures réunit les deux tours sans flèche. La tour Sud abrite le bourdon, qui pèse treize tonnes et la tour Nord, qui renferme un escalier de trois cent quatre-vingt-sept marches, est un véritable petit musée avec des toiles du XVIIe siècle et un certain nombre de sculptures originales de la cathédrale, tel le Saint-Marcel du trumeau du portail Sainte-Anne (XIIe siècle) remplacé par une copie. A différents étages des tours, Viollet le Duc a imaginé tout un univers monstrueux, oiseaux nocturnes, diablotins et gargouilles dont Méryon nous a rendu, dans ses gravures, l'image fantastique. Façades latérales et abside, dont les arcs-boutants ont quinze mètres de portée, jouent avec les pleins et les vides et sont constitués de trois étages en retrait l'un de l'autre. Commencé par Jean de Chelles en 1257, le portail sud ou de Saint-Etienne, qui donne sur le jardin de l'archevêché, fut terminé par Pierre de Montreuil. Les sculptures du tympan et des voussures racontent la vie du saint avec une rare délicatesse d'inspiration. Le portail est surmonté par la grande rose sud, où les saints, les apôtres, les anges, les Vierges sages et les Vierges folles semblent tourner autour du Christ central. A la façade nord, le portail du Cloître est de la même époque; il est dédié à la Vierge Marie. Au trumeau, la statue de celle-ci tenant l'Enfant Jésus — il fut brisé pendant la Révolution — est la seule statue ancienne qui ait été conservée à un portail de la cathédrale. C'est à ce portail que se faisait l'instruction des enfants qui passaient dans la rue. La petite porte rouge, due à Pierre de Montreuil, ouvre dans la troisième travée septentrionale du chœur. Elle était destinée au passage des chanoines. On y voit le couronnement de la Vierge entourée de saint Louis et de Marguerite de Provence agenouillée et des épisodes de la vie de saint Marcel, évêque de Paris. La grande rose nord est l'un des plus beaux vitraux français du XIIIe siècle : des bandeaux concentriques de jours où prédominent le bleu et le violet, divisés par de sombres rayons de pierre qui en soulignent l'éclat, se présentent sous la forme d'une gigantesque roue autour de la Vierge à l'Enfant qui en est le moyeu. Les trois magnifiques rosaces de Notre-Dame semblent à la fois tourner et demeurer éternellement immobiles. L'illusion est créée par la répétition de cercles concentriques de lumière irradiant dans un rythme de vitrail et de pierre.

La flèche, élevée à la croisée du transept par Viollet le Duc en 1860 veut imiter l'ancienne flèche du XIIIe siècle démolie au XVIIIe. En chêne recouvert de plomb, elle pèse sept cent cinquante tonnes. L'une des statues qui se dressent à sa base représente le restaurateur.

Avec une avant-nef de deux travées situées sous les tours et cinq nefs correspondant à trois portails, l'intérieur de la cathédrale est assez exceptionnel. Les collatéraux sont bordés, à l'extérieur, de sept chapelles de chaque côté, ce qui, avec celles de l'abside, porte le nombre total à vingt-neuf chapelles. Leur décoration date pour la plupart des XVIIe et XVIIIe siècles. On pourra noter, à l'entrée du chœur, côté sud, une Vierge du XIVe siècle, les boiseries des stalles du chœur datant du XVIIIe siècle et, bien entendu, dans les chapelles de nombreuses toiles, entre autres une Prédication de saint Paul due à Le Sueur. Certaines de ces toiles proviennent d'une tradition : celle du may. Chaque premier mai, de 1630 à 1707, la Corporation des Orfèvres offrait à la cathédrale un grand tableau religieux.

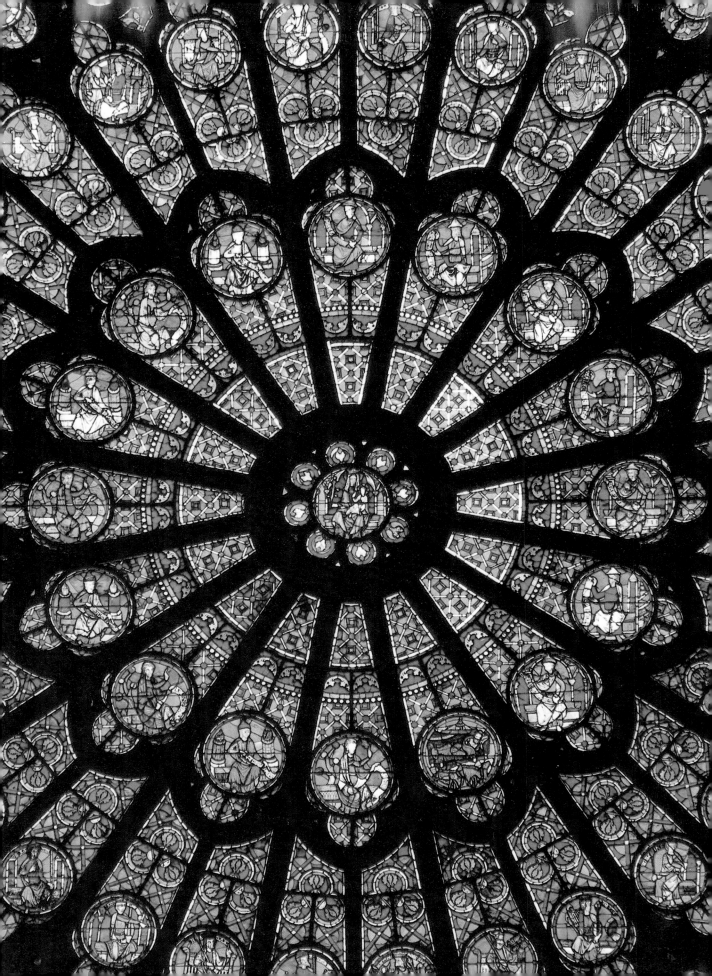

Ci-contre :
*La rosace nord de Notre-Dame
de Paris perpétue la splendeur du
vitrail français du XIIIe siècle.
Des bandeaux concentriques de
jours où dominent le bleu et le
violet, divisés par de sombres
rayons de pierre qui en soulignent
l'éclat, se présentent sous la
forme d'une gigantesque roue.*

Ci-dessus :
*Dix travées couvertes de cinq
voûtes sexpartites, telle est la nef
de Notre-Dame qui résonna de
tant d'événements historiques, du
couronnement de Napoléon Ier au
Te Deum de la Victoire, en
1945 !
Les travaux avaient commencé
par le chœur et c'est en 1200 que*

*la nef fut achevée. Vers 1235, on
l'élargit et entre les piles des
arcs-boutants, on put ainsi créer
une série de chapelles, vendues à
des confréries ou à des familles.
C'était là une innovation qui
allait être bientôt suivie dans
d'autres cathédrales, le clergé y
trouvant une appréciable source
de revenus.*

Ci-dessus :
La sacristie de Notre-Dame de Paris fut construite au milieu du XIXᵉ siècle. Le Trésor de la cathédrale est particulièrement riche et bien présenté dans la grande sacristie. On peut y voir une belle série de reliquaires, calices, ciboires et ostensoirs et des pièces d'époques diverses, parmi lesquelles le crucifix en ivoire donné par Louis XIV à Mademoiselle de La Vallière, une Vierge d'argent donnée par Charles X et surtout des reliques, un morceau de la vraie Croix, un clou de la Croix, le jonc de la Sainte-Couronne, données par Baudouin II de Constantinople en 1238 à saint Louis qui fit bâtir pour elles la Sainte-Chapelle. Tout autour du chœur, se trouvait une clôture, commencée en 1300 par Pierre de Chelles. Il n'en subsiste que deux séries de bas-reliefs, l'une au nord, l'autre au sud.

Ci-dessus :
Les vitraux de Notre-Dame ont tous été détruits; seule, la rosace nord est presque intacte. La rosace sud, qui date aussi du XIIIᵉ siècle a été considérablement restaurée au XVIIIᵉ. Elle est dans des tonalités rouges, avec en son centre le Christ en majesté.

Pages suivantes :
Notre-Dame de Paris n'est pas belle.
On l'a répété, surtout depuis les restaurations nécessaires que Viollet-le-Duc y a pratiquées. Mais elle a autre chose que la beauté, quelque chose que Huysmans a bien compris :

«Il n'y a donc à s'extasier ni sur ses portails, ni sur ses voussures en vieux neuf, ni sur sa flèche qui date de 1859... Mais elle est plus mystérieuse que ses sœurs, plus savante et moins pure; elle n'est pas autant à Dieu que les autres, car elle recèle des secrets interdits...»

Quimper

Max Jacob, qui naquit à Quimper, lui demeura toujours fidèle. Il a chanté sa ville natale tantôt sur le mode de la tendresse :

Gentil Quimper, le nid de mon enfance
De lierre, ormeaux, roches tout tapissé...

tantôt sur celui de l'humour :

Je vais au champ de course de Quimper
Je vais au champ de course de Quimper
Voir s'il a beaucoup plu hier
Voir s'il a beaucoup plu hier...

Et, dans la cathédrale de Quimper, la légende et la foi se rejoignent. La *Civitas Corisopitum* des Gallo-Romains, chef-lieu du comté de Cornouailles, aurait eu pour roi le fabuleux Gradlon. Au IVᵉ siècle, la ville d'Ys était défendue par une digue, que fermait une porte dont seul le roi Gradlon avait la clef. Une nuit, pendant son sommeil, sa fille Dahut déroba la clef, courut ouvrir la porte et laissa les eaux de l'océan submerger la ville. Le roi s'enfuit à cheval, sa fille accrochée à la queue de l'animal, tous trois fuyant le raz de marée. Quand Dahut lâcha prise, le flot s'arrêta, mais la ville avait disparu. C'est aujourd'hui la baie de Douarnenez. Le roi Gradlon avait par ailleurs rencontré un homme dont la foi l'avait ébloui. Cet homme, né vers 375, s'appelait Corentin. Le roi lui offrit un terrain pour édifier un monastère et la ville de Quimper réclamant un évêque, Gradlon désigna Corentin qu'il envoya à Tours afin d'y être sacré par saint Martin. Il mourut vers 460 et la ville prit le nom de Quimper-Corentin.

De l'église romane qui précéda l'actuelle cathédrale Saint-Corentin, il ne subsiste qu'un chapiteau de colonne, et encore son attribution est-elle contestable. D'autres sanctuaires avaient dû exister auparavant, dont il ne reste rien. Bien que quatre siècles séparent la construction des tours de celle des flèches, c'est une cathédrale gothique tout à fait homogène. La partie la plus ancienne en est le chœur, qui fut commencé vers 1240 et qui, avec la chapelle absidiale et les bas-côtés fut achevé vers 1290. Les chapelles du côté sud furent terminées aux alentours de 1335. Les travaux, interrompus par le sac de Quimper par les soldats de Charles de Blois et par la peste, reprirent au début du XVᵉ siècle. En 1424, Bertrand de Rosmadec étant évêque, la première pierre des tours fut posée. Le grand portail à double porte et la nef datent également de cette époque. La nef fut terminée en 1460 et les deux bras du transept une trentaine d'années plus tard. En 1468, on éleva une flèche de bois recouverte de plomb, qui fut abattue par la foudre en 1620. La Révolution n'épargna pas Saint-Corentin, notamment ses statues et ses vitraux. Au début du XIXe siècle, on entreprit les réparations nécessaires et, de 1854 à 1856, on suréleva les deux tours de flèches de pierre qui ne déparent en aucune manière le caractère de la cathédrale. C'est une parfaite réussite. Il faut dire qu'elles furent construites selon d'anciens plans. Entre les tours qui s'élèvent ainsi à près de quatre-vingts mètres, on peut voir la statue équestre du roi Gradlon.

L'intérieur de la cathédrale mesure quatre-vingt-douze mètres de longueur et la nef et le chœur ne sont pas dans le strict prolongement l'un de l'autre. Arcades, triforium et de hautes fenêtres, l'élévation est identique dans la nef, le chœur et le transept. Les arcs-boutants du chœur, comme ceux de la nef, sont à double volée. Au nord de celle-ci, un porche voûté, appelé porche des baptêmes, correspond au sud à un portail dont le tympan est sculpté par une Vierge à l'Enfant entourée de deux anges. Le portail de l'aile nord, dit de la Chandeleur, date de la fin du XVe siècle et est sans tympan. Les hautes fenêtres du chœur n'ont conservé que peu de vitraux, mais ils datent du début du XVe. Les plus beaux sont ceux du transept, un peu plus tardifs et ceux de la nef. Ils représentent presque tous des chanoines et des grands seigneurs. Des tombeaux à gisants, parmi les plus beaux de Bretagne, des panneaux sculptés, des statues des XIVe et XVe siècles donnent à l'intérieur de la cathédrale de Quimper toute sa richesse. Une mention à part doit être faite à Jean Discalcéat, dit Santik Du, dont les reliques sont conservées dans l'une des chapelles de l'abside. Son nom signifie le Déchaussé, mais on l'appelle aussi le petit saint noir, parce qu'il mourut de la peste. Dans l'histoire difficile de Quimper au XIVe siècle, il joua un rôle héroïque dans la défense contre Charles de Blois.

Rarement, autant qu'à Saint-Corentin de Quimper, l'histoire locale a été aussi fidèlement évoquée. Chaque évêque, chaque chanoine, de Bernard de Rosmadec, qui mourut en 1445 à Pierre de Quinquis et d'Even de la Forêt à Monseigneur Duparc, a droit ici à un souvenir, une sculpture, un tombeau.

La cathédrale Saint-Corentin n'a pas connu les innombrables avatars de Beauvais ou de Strasbourg. Elle n'est pas l'une de ces cathédrales héroïques, maintes fois incendiées et reconstruites. Mais, plus proche de la foi populaire, plus fidèle au particularisme de sa région, homogène malgré sa construction qui s'échelonna sur près de six siècles, elle n'en demeure pas moins attachante. Comment pourrait-on relire sans sourire ce qu'écrivait La Fontaine, pour qui Quimper semblait une sorte de désert, de «terra incognita» :

«Le Phaéton d'une voiture à foin
Vit son char embourbé. Le pauvre homme était loin
De tout humain secours : c'était à la campagne,
Près d'un certain canton de la Basse-Bretagne
Appelé Quimper-Corentin.
On sait assez que le Destin
Adresse là les gens quand il veut qu'on enrage.
Dieu nous préserve du voyage...»

Pages suivantes :
C'est en 1424 que l'évêque Bertrand de Rosmadec posa la première pierre des tours de la cathédrale Saint-Corentin de Quimper. Prosper Mérimée trouvait qu'elle appartenait «à ce gothique bâtard qui précéda la Renaissance, et dont les défauts se dissimulent sous la richesse de l'ornementation».
Ce n'est qu'en 1856 que les deux tours furent surélevées de flèches de pierre qui ne déparent en rien le caractère de l'ensemble. Entre les clochers, se dresse la statue équestre du roi Gradlon, qui régnait sur la ville d'Ys aujourd'hui engloutie et qui donna à un pauvre nommé Corentin un terrain sur lequel bâtir une église. En Bretagne, il n'est pas rare que la légende, l'histoire et la foi se rejoignent!

Ci-contre :
Ce qui surprend, dans la cathédrale de Quimper, c'est que le chœur n'a pas le même axe que celui de la nef. Il s'incline fortement au nord-est à partir du transept, puis se redresse un peu, formant une ligne légèrement courbe.
L'intérieur de Saint-Corentin est surtout intéressant par les gisants du XVe siècle qui s'y trouvent : trois évêques et un chanoine.
La chaire est particulièrement belle : elle fut sculptée en 1679 par un artiste de Quimper nommé Olivier Daniel. Elle est ornée de médaillons en bas-reliefs dorés qui relatent des épisodes de la vie de saint Corentin.

Page en regard :
Le grand portail à double porte date du début de la construction de la cathédrale, c'est-à-dire de la première moitié du XVe siècle. Les voussures sont riches de figurines bien sculptées, qui se distinguent surtout par un gracieux ajustement de leurs draperies. Au nord de la nef, se trouve le porche dit des baptêmes qui correspond, au sud, à un portail dont le tympan représentant la Vierge à l'Enfant entourée de deux anges.

Il ne subsiste que quelques vitraux du début du XVe siècle aux hautes fenêtres du chœur. De la fin du même siècle, datent certains vitraux du transept et surtout ceux de la nef. Ils représentent, pour la plupart, des chanoines, de grands seigneurs et des dames tous sous la protection de leurs saints patrons. Il existe aussi un certain nombre de vitraux modernes. La cathédrale de Quimper est un rare exemple de réussite de juxtaposition d'ancien et de moderne.

Reims

«Grand jouet de mon âme, ô française forêt de pierres, et vos tours, mes immenses hochets, vous êtes demeurés le seul Jeu de mon âme avec les trois hauts porches, en triangle de flamme, et dessus eux la Rose où l'on voit voltiger des pigeons...» Ainsi chantait Paul Fort, aux heures tragiques de 1914, lorsque, le 19 septembre, 4 600 obus tombèrent sur Reims, qui allait connaître, pendant quatre ans, des bombardements incessants et devenir l'un des symboles de la France face à l'envahisseur.

Au moment de la conquête des Gaules par les Romains, une ville importante, appelée *Durocortorum*, était capitale de la tribu des Remi. Évangélisée au IVᵉ siècle par saint Sixte et saint Sirice, elle fut dévastée par les Vandales qui, en 407, massacrèrent saint Nicaise sur le seuil de l'église qu'il venait d'ériger en l'honneur de la Vierge. Reims, qui eut encore à subir, l'invasion des Huns, se releva sous l'épiscopat de saint Rémi. Celui-ci, fils de sainte Céline et apôtre des Francs, était né près de Laon en 437. Il fut évêque de Reims de 459 — il avait vingt-deux ans — à sa mort en 533. Après la victoire de Tolbiac, en 496, il baptisa Clovis. Sur l'église de Saint-Nicaise et grâce à l'aide de Charles le Chauve, l'archevêque Ebbon entreprit, en 820, la construction d'une seconde église, qui fut achevée en 862 et dédicacée par Hincmar. Celui-ci, qui mourut à Épernay en 882, fut l'un des grands personnages de l'époque, tant par ses écrits politiques et religieux que par ses tendances autoritaires qui l'opposèrent successivement aux papes Léon IV et Nicolas Iᵉʳ. Il dut, l'année de sa mort, quitter Reims menacée par les Normands. Au siècle suivant, Adalbéron modifia considérablement cette basilique carolingienne qui fut, en 1210, entièrement détruite par un incendie. Le 6 mai 1211, l'archevêque Aubéric, ou Aubri, de Humbert posa la première pierre d'une nouvelle cathédrale. C'est celle que nous connaissons aujourd'hui. L'architecte Jean d'Orbais en fut le premier maître d'œuvre. Parmi ses successeurs, que nous connaissons grâce à des inscriptions gravées dans le pavé de la nef, mais qui furent malheureusement effacées un peu avant la Révolution, il faut citer Jean le Loup, à qui l'on doit les portails ouest et les travées orientales de la nef, Gaucher de Reims qui construisit le grand portail central, Bernard de Soissons qui acheva la nef, éleva la façade occidentale jusqu'à la naissance des tours et dessina la grande rosace, Robert de Coucy enfin, mort en 1311, qui poursuivit à son tour les travaux et acheva la façade occidentale avec la galerie des Rois. Le 17 juillet 1429, Charles VII fut sacré dans la cathédrale en présence de Jeanne d'Arc et en 1481 un incendie détruisit la toiture, le clocher central qui s'élevait à la croisée du transept à cent quarante mètres de hauteur, les quatre tours du transept, ainsi que le clocher du chevet, dit «clocher de l'ange», aujourd'hui reconstitué d'après les plans primitifs. Si Louis XI fut réticent à accorder son aide pour la reconstruction, Charles VIII se montra plus généreux. Il fallut toutefois attendre 1515 pour que les réparations fussent terminées, mais, faute de moyens, on dut renoncer à reconstruire le clocher central. Pendant la Révolution, Notre-Dame de Reims devint entrepôt de fourrages et, le 29 mai 1825, s'y déroula le dernier sacre d'un roi de France : celui de Charles X.

La cathédrale de Reims est de conception relativement simple : nef à dix travées flanquée de bas-côtés, transept à deux travées avec collatéraux, chœur à deux travées, déambulatoire à cinq chapelles rayonnantes. Longueur totale intérieure : cent trente-neuf mètres. Largeur totale de la nef trente-quatre mètres et hauteur sous clef : trente-huit mètres. Les trois profonds portails de la façade occidentale sont l'un des chefs-d'œuvre de l'art gothique. Ils sont sculptés à foison et leurs voussures hautes et profondes en font de véritables porches. Le portail central est consacré à Marie. Au trumeau, la Vierge portant l'Enfant. Autour d'elle, l'Annonciation, la Visitation, la Présentation au Temple. Au portail de gauche, on peut lire l'histoire des saints et des martyrs, parmi lesquels saint Nicaise entouré de deux anges : à droite le célèbre «Ange au sourire», à la tête bouclée, qu'il fallut reconstituer après la Première Guerre mondiale. Le portail de droite illustre la Fin des temps. On peut y voir le Christ et l'Apocalypse, entouré d'anges porteurs des instruments de la Passion. Au-dessus du porche central, s'ouvre la grande rosace. Elle est consacrée à Notre-Dame. Au centre, la mort de la Vierge et, dans les médaillons, les Apôtres. Tout autour, des anges musiciens et des prophètes. Dominant la rosace, un grand bas-relief illustre le combat de David et de Goliath. Puis la galerie des Rois semble barrer la base des tours. Il y a là cinquante-six statues, parmi lesquelles Clotilde, épouse de Clovis et saint Rémi. Clovis se trouve au centre, entre eux deux. Ces statues sont colossales : elles mesurent quatre mètres cinquante de hauteur et pèsent près de sept tonnes chacune.

Les tours, sans flèche, ont quatre-vingt-un mètres cinquante de hauteur. La tour sud fut achevée vers 1435 et contient les deux bourdons ; la tour nord le fut une trentaine d'années plus tard. Elles sont toutes deux surmontées de tourelles ajourées.

La cathédrale a la forme d'une croix latine, dont la longueur du transept est de trente et un mètres. La façade nord possède trois portes. Celle de gauche, dite du Jugement dernier, montre, au trumeau, le Christ bénissant, décapité pendant la Grande Guerre. La porte de droite donnait autrefois accès au cloître des chanoines. De style roman, elle est peut-être un vestige de la cathédrale précédente. Au tympan, une Vierge à l'Enfant. La porte centrale est celle des archevêques de Reims. Les sculptures du tympan retracent la vie de saint Rémi et il semble que la statue du trumeau représente Hincmar. La rosace de cette façade, entourée des statues d'Adam et d'Ève, illustre des scènes de la Genèse et la galerie qui la surmonte porte sept statues de prophètes datant du XIIIe siècle. La façade sud ne possède aucune ouverture et, de part et d'autre de la rosace, se tiennent les statues de l'Église et de la Synagogue, aux yeux bandés. Le chevet de la cathédrale est de structure assez complexe, avec ses sept chapelles, dont cinq rayonnantes, mais l'attention se portera sur les statues d'anges (on a surnommé la cathédrale de Reims la «cathédrale des anges»), les gargouilles et les clochetons. En levant les yeux, on verra le petit clocher du chevet, à l'extrémité duquel, à quatre-vingt-sept mètres de hauteur, pivote un ange doré, une girouette.

Tout à Reims, l'architecture comme la sculpture, contribue à donner une impression d'unité parfaite, malgré les déprédations du temps et des hommes. On a pu dire que l'intérieur de la cathédrale était le triomphe de l'ogive. Elle est en effet tout entière voûtée sur croisée d'ogives. L'élévation est à trois étages : en bas, de grandes arcades étayées de

Page en regard et page
suivante :

La façade occidentale de Notre-Dame de Reims est l'une des plus belles bibles de pierre que l'architecture religieuse du Moyen Age nous ait léguées. Mais, outre sa beauté monumentale, la cathédrale de Reims représente autre chose : une sorte de symbole de la France. En 496, dans l'église primitive, Clovis fut baptisé par saint Rémi. Le 17 juillet 1429, la construction de la cathédrale n'étant pas encore terminée, Charles VII est sacré en présence de Jeanne d'Arc. Le 29 mai 1825, a lieu le dernier sacre : celui de Charles X. De Louis VII à Charles X, vingt-quatre rois de France furent sacrés en la cathédrale de Reims. Le 19 septembre 1914, quatre mille obus allemands tombèrent sur la ville et incendièrent une grande partie de Notre-Dame qui ne fut rendue au culte qu'en 1927 !

Symbole français face aux envahisseurs de l'Est, flamme gothique jaillie au cœur de la Champagne, brûlée, ressuscitée, Notre-Dame de Reims avec ses contreforts, ses combles, ses gargouilles, ses clochetons de toutes sortes, l'extraordinaire richesse de ses toitures, de ses façades latérales, de son chevet, est comme une profonde forêt de pierre. Rendus plus légers par construction de tabernacles surmontés de pinacles, les contreforts abritent des anges.

piliers cylindriques ; plus haut, le triforium et, au-dessus, de hautes fenêtres permettant à la lumière de pénétrer. Ces fenêtres, ou claire-voie, étaient autrefois décorées d'une série de vitraux représentant trente-six rois de France et les archevêques qui les ont sacrés. Huit rois et huit archevêques ont survécu. La rosace ouest, de douze mètres de diamètre, est comme une explosion de lumière à l'intérieur de la cathédrale. Terminée au milieu du XIIIᵉ siècle, elle est, sur le plan technique, l'une des premières pour lesquelles fut employé le remplage nervuré, procédé qui a transformé les rosaces radiantes en anneaux de fleurs. La face intérieure de la façade occidentale est d'autre part décorée de cinquante-deux statues retraçant, à droite, la vie de saint Jean-Baptiste, la communion du chevalier revêtu de son armure, le baptême du Christ et, à gauche, la vie de Jésus. Elles entourent une petite rose, séparée de la grande rosace, par une galerie ajourée éclairée de neuf vitraux illustrant, dit-on, le sacre de saint Louis. Les vitraux de Reims connurent pas mal de vicissitudes et durent être souvent restaurés. En 1974, furent posés dans la chapelle axiale des vitraux dus à Marc Chagall. Outre l'arbre de Jessé, ils présentent des scènes de la vie d'Abraham, la Résurrection, la Crucifixion et quelques épisodes de la vie des rois de France.

Parcourir la nef permet de retracer l'histoire de la cathédrale. C'est ainsi qu'à hauteur de la chaire on a pu repérer l'endroit où saint Nicaise fut martyrisé ; une dalle en témoigne. Entre celle-ci et le portail central, se trouvait le labyrinthe, un tracé de marbre noir datant de la fin du XIIIᵉ siècle, figure géométrique qui a permis de retrouver les noms des quatre architectes de Reims : Jean d'Orbais, Jean le Loup, Gaucher de Reims et Bernard de Soissons. On retrouva également un grand nombre de tombeaux d'archevêques.

En 1530, l'archevêque Robert de Lenoncourt fit tisser en lin et en laine une suite de dix-sept tapisseries à fond de fleurettes retraçant la vie de la Vierge et les offrit à la cathédrale. Elles furent à plusieurs reprises utilisées lors des sacres. Mises à l'abri pendant la Grande Guerre, elles ont aujourd'hui, pendant la belle saison, retrouvé leurs emplacements. Au bras nord du transept enfin, une horloge à personnages marque les heures. Elle évoque la fuite en Égypte et le passage des Rois Mages.

Et, à l'heure où le couchant teinte de rose la pierre tendre de Notre-Dame de Reims, comment ne pas songer encore au poème de Paul Fort : «Rêve, de ma jeunesse, il faut que vous soyez la Vérité française. Vous l'êtes tout entière ! Songe où ma Cathédrale eût pensé m'effrayer — changée en flamme allègre illuminant nos terres, — lyrique mais gaulois, je vous ai dû la Grâce de ne chanter nuls chants que du goût de ma race. La Basilique a pris la forme de la flamme, sitôt qu'elle sortit du cœur de Jean d'Orbais, — mais plus inextinguible et haute depuis Jeanne, holocauste vers Dieu de tous les cœurs français, vous n'avez pu, non moins que le ciel étoilé — guerre, affreuse guerre — l'éteindre ou la brûler.»

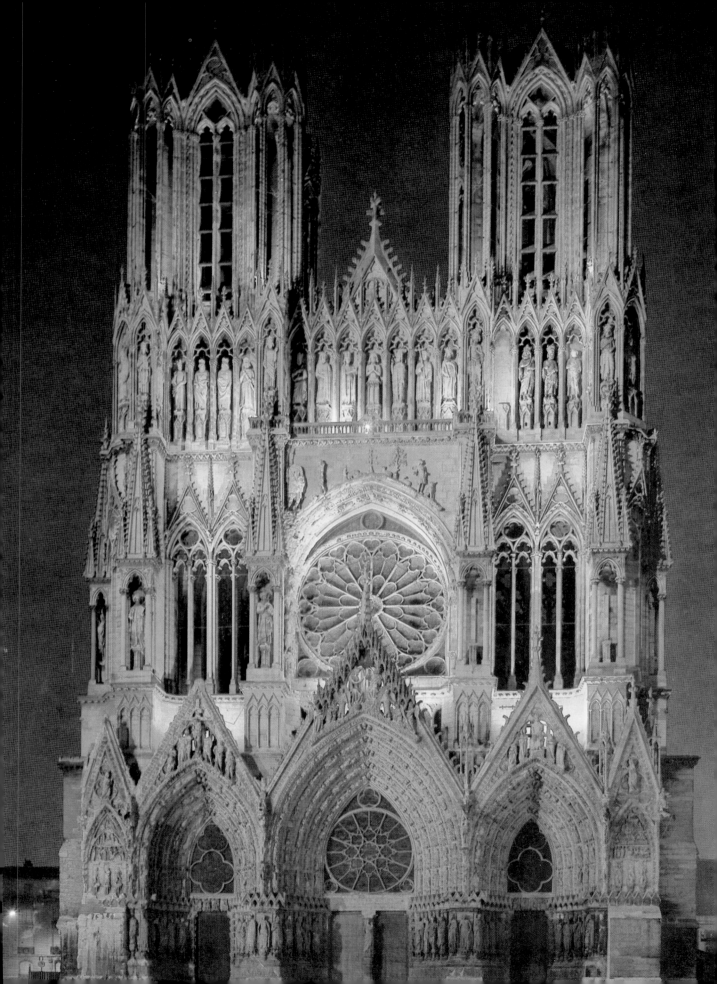

Ci-dessus et pages suivantes :
On a surnommé Notre-Dame de Reims la «cathédrale des anges». Lors de l'incendie de juillet 1481, toute la charpente fut détruite, ainsi que le clocher du chevet, dit clocher «à l'ange», aujourd'hui reconstitué d'après les plans primitifs. Mais l'ange le plus célèbre de Reims est bien entendu l'«Ange au sourire». Il se trouve au portail de gauche de la façade, portail qui illustre l'histoire des saints et des martyrs. Saint Nicaise, décapité en 406 par les Vandales au seuil de son église est ici représenté, la calotte crânienne tranchée. Il est entouré de deux anges, dont l'un sourit avec une grâce inégalée que le martyre de 1914 n'a pas effacée. Il ne faut pas oublier, au portail central de la façade, l'ange de l'Annonciation.

Au milieu de la nef, à peu près à hauteur de la chaire, une dalle indique l'endroit exact où saint Nicaise fut décapité. La nef à dix travées, étroite et flanquée de bas-côtés, a une élévation à trois étages : de lourds piliers cylindriques, le triforium et de hautes claires-voies qui permettent à la lumière d'entrer et autrefois décorées d'une série de vitraux représentant les rois de France et les archevêques qui les ont sacrés.

Si l'on tourne le dos au chœur, pour regarder vers l'ouest, on voit la nef close par un mur exceptionnel dans l'histoire de l'art gothique.

En haut, la grande rose ouest, au-dessous de laquelle une galerie éclairée de neuf vitraux représentant des épisodes de la vie de Saint Louis qui la sépare d'une petite rose entourée de cinquante-deux statues. Elles illustrent, à droite, la vie de saint Jean-Baptiste et, à gauche, la vie de Jésus. Ce revers de la façade occidentale est tout auréolé des rayons du soleil couchant qui traversent la grande rosace.

Ci-contre :
Les bas-côtés de la nef, qui atteint une hauteur de trente-huit mètres, sont particulièrement élevés. Sur les murs sont pendues de belles tapisseries exécutées à Reims même. Elles furent utilisées à plusieurs reprises pour les sacres royaux. Certaines furent offertes, vers 1530, par l'archevêque de Lenoncourt, d'autres, un peu plus tard, par Charles, cardinal de Lorraine. Cette série de dix-sept tapisseries illustre la vie de la Vierge, depuis sa naissance jusqu'à la dormition, l'Assomption et le couronnement.

Page en regard :
Au début du XIIe siècle, apparut à Reims une nouvelle forme de remplage, le remplage nervuré. Au lieu d'être simplement percé de trous, on le découpe, on l'ajoure de nervures jusqu'à ce que les minces barreaux de pierre forment l'ossature des formes géométriques utilisées dans le remplage plat.

Rouen

L'origine de Rouen remonte à l'époque celtique. Elle fut la capitale des Véliocasses et devint, sous la domination romaine, le chef-lieu de la Lyonnaise II, l'une des divisions de la Gaule romaine. De nombreux monastères s'établirent par la suite dans les environs, sur les rives de la Seine, tels Jumièges ou Saint-Wandrille. C'est sans doute saint Nicaise qui apporta à Rouen la parole de l'Évangile et saint Mellon, vers 260, choisit la ville, qui s'appelait alors *Rotomagus,* comme lieu de culte. On raconte l'anecdote suivante : un jeune garçon, pour mieux entendre saint Mellon prêcher, monta sur le toit de sa maison, glissa et se tua. Le saint le ressuscita et le père offrit sa maison afin qu'une église soit construite sur cet emplacement. Plus tard, vers 393, saint Victrice, élèvera la première basilique, qui subsistera jusqu'à la construction de la cathédrale romane. En 841, les normands détruisirent le premier monastère de Saint-Ouen et, en 912, par le traité de Saint-Clair sur Epte négocié entre l'archevêque Francon, le roi Charles III le Simple et Rollon, chef des Normands, celui-ci devint le premier duc de Normandie et, converti, s'engagea à restaurer la basilique dévastée.

L'église romane du XIe siècle était presque aussi importante que la cathédrale actuelle. Commencée vers l'an 1000, elle fut consacrée en 1063 par saint Maurille en présence du futur Guillaume le Conquérant. On y rapporta en grande cérémonie le corps de Rollon, dont le tombeau demeure toujours, au pourtour du chœur, côté sud. La crypte de cette première église romane est encore visible de nos jours. Vers 1145, Hugues d'Amiens, ami de Suger, l'abbé de Saint-Denis, décida d'introduire dans la construction de la cathédrale de Rouen le style ogival, ou gothique alors en pleine expansion. Il fit tout d'abord construire la tour Saint-Romain, à gauche lorsqu'on regarde la façade ; elle ne sera terminée qu'au XVe siècle, et mesure soixante-quinze mètres de haut. Elle abrita longtemps la lourde cloche Jeanne d'Arc et fut très endommagée lors de l'incendie de juin 1944. Les deux portails des bas-côtés remontent également à cette époque. Le premier est consacré à saint Étienne : il représente la lapidation du saint, dont le Christ, au registre supérieur, attend l'âme au Paradis. Le second est consacré aux deux saints Jean : saint Jean-Baptiste est décapité et nous assistons au festin d'Hérode et à la danse de Salomé ; au registre supérieur, saint Jean l'Évangéliste descend dans la fosse creusée au pied de l'autel. Notons que le portail central, dédié à saint Romain n'était pas, à l'origine, celui que nous voyons aujourd'hui. Celui-ci date du XVIe siècle. C'est l'architecte Rolland le Roux qui décida de supprimer l'ancien portail, dont la rosace du XIVe siècle sera en partie cachée par le gâble, c'est-à-dire par le fronton triangulaire, du nouveau portail, au tympan duquel le sculpteur Jean des Aubaux a gravé un arbre de Jessé, entouré de trois-cent-cinquante-six statuettes religieuses ou profanes.

Comme cela s'est souvent produit dans l'histoire des cathédrales, un incendie détruisit presque entièrement celle de Rouen, en 1200. L'année suivante, Jean d'Andély fait élargir le chœur et la nef et, en 1204, Philippe-Auguste fait son entrée triomphale dans la nouvelle cathédrale en construction. A la croisée du transept, de la tour-lanterne s'élevait déjà une flèche de bois recouvert de plomb, d'une hauteur audacieuse et que les Rouennais avaient surnommée «la tour grêle». Au XIVe siècle, un jubé fut construit, qui sera démoli au XVIIIe. Le XVe siècle fut marqué, comme partout, par les malheurs de la Guerre de Cent ans et, plus particulièrement à Rouen, par le procès et la mort de Jeanne d'Arc. Néanmoins vers 1470, la tour Saint-Romain est achevée par l'adjonction d'un cinquième étage et d'un beffroi de style gothique flamboyant et la tour de Beurre, à droite en regardant la façade, est construite par les architectes Guillaume Pontis et Jacques Le Roux. Elle doit probablement son nom aux dons que faisaient les fidèles afin d'être autorisés à manger du beurre en carême. C'est Rolland le Roux qui la terminera au début du siècle suivant par une couronne octogonale : elle contient un carillon de cinquante-huit cloches.

Dernière addition : la flèche de la tour centrale. Cette tour, qui date du XIIIe siècle, est un parfait exemple de l'architecture normande, avec ses hautes fenêtres qui laissent entrer la lumière du jour. Rolland le Roux ajouta un étage afin d'y élever une nouvelle flèche, en pierre, mais il dut y renoncer faute de moyens. En 1542 enfin, une nouvelle flèche sera construite, en bois et en plomb, mais elle brûlera en 1822. Ce n'est qu'en 1877 que la flèche actuelle, ornée de quatre clochetons de cuivre, sera construite en fonte sur un tracé ancien du sculpteur Alavoine (1776-1834) à qui l'on doit la colonne de Juillet, place de la Bastille ; elle mesure cent cinquante-et-un mètres de hauteur.

Outre les trois portails de la façade, la cathédrale de Rouen en possède deux autres, peut-être plus célèbres. A l'extrémité du transept sud, c'est le portail de la Calende. Construit par Jean Davi, il fut achevé vers 1340 et doit son nom au fait que le calendrier liturgique y était affiché. Le tympan raconte les épisodes de la Passion, la Résurrection, l'Ascension et la Pentecôte. Les quadrilobes représentent des scènes de l'Ancien Testament. Au trumeau : un «beau Dieu». Si nous contournons le chevet de la cathédrale en empruntant la rue Saint-Romain, nous nous trouvons à la façade nord de l'édifice. Une porte y donne sur la cour des Libraires, au fond de laquelle se trouve le portail du même nom, qui donne accès à l'intérieur de la cathédrale. Les chanoines traversaient autrefois cette cour pour se rendre à la «librairie» et de nombreuses boutiques de libraires étaient adossées aux murs. Le portail est remarquable par ses quadrilobes illustrant des scènes de la Création, mais aussi une foule de figures bouffonnes ou grotesques, véritable bestiaire fantastique, comme un homme à tête de bouc agitant une clochette, un porc jouant du violon, des dragons, des sirènes et des centaures. Le tympan est consacré au Jugement dernier, dont il ne représente que deux scènes : la Résurrection des Morts et la Séparation des élus et des damnés. Il semble que le troisième registre n'ait jamais été sculpté. Au trumeau, saint Romain tient enchaînée la Gargouille.

Entrons à présent dans la cathédrale. Elle mesure cent trente-cinq mètres de longueur. La nef est constituée de onze travées, à quatre étages avec de grandes arcades, des ouvertures pour des tribunes qui ne furent jamais construites, un triforium — c'est-à-dire une galerie permettant de circuler autour de l'édifice — séparé des fausses tribunes par une frise de trèfles, trois cercles se coupant et ayant leur centre respectif à chacun des sommets d'un triangle équilatéral. De hautes fenêtres ont remplacé, à la fin du XIVe siècle, les baies primitives qui étaient moins larges. Les bas-côtés voûtés ne comprennent que trois étages : l'architecte est par-

La cathédrale de Rouen a connu, elle aussi, les vicissitudes de l'Histoire : les guerres de religion, les incendies, la Révolution la mutilèrent, tout comme les bombardements alliés, d'avril à juin 1944. La façade, avec ses deux tours construites hors œuvre, est impressionnante. Elle est décorée d'une surabondance de clochetons, de pinacles et de statues. Elle comporte trois portails : le portail central, reconstruit au XVIe siècle, très décoré et surmonté d'un immense gâble, avec, au tympan, un arbre de Jessé et deux petits portails du XIIe siècle : celui de droite est consacré à saint Etienne, celui de gauche à saint Jean l'Evangéliste et à saint Jean Baptiste. Au nord, la tour saint-Romain, fut construite à la fin du XIIe siècle, mais le cinquième étage et le beffroi ne le furent qu'à la fin du XVe. La tour de Beurre, au sud, en style gothique flamboyant, date de la même époque. Elle fut construite grâce aux aumônes que versaient les fidèles pour avoir l'autorisation de manger du beurre en carême.

Quant à la flèche qui domine la cathédrale de ses cent cinquante-et-un mètres, elle fut dressée en 1876, remplaçant une flèche pyramidale de bois et de plomb, qui datait de 1540 et fut incendiée en 1822...

venu à masquer ici l'absence de tribunes. Les chapelles sont du XIVe siècle et sont dédiées aux saints patrons des corporations. Non loin du portail de la Calende, on peut encore voir une petite porte des maçons.

A la croisée du transept, dont les bras n'ont également que trois étages, quatre puissants piliers soutiennent la tour-lanterne et sa flèche. Ici, la clé de voûte de la tour est à cinquante-deux mètres du sol ! Dans le croisillon nord, au revers du portail des Libraires, on admirera l'escalier ouvragé qui conduisait à la «librairie». Le chœur, voûté sur croisées d'ogives, date lui aussi du XIIIe siècle. Il est limité par quatorze piles circulaires et son élévation est à trois étages, avec de grandes et hautes fenêtres refaites au XIVe siècle et qui permettent à la lumière d'entrer. L'autel est situé au fond du chœur : restauré depuis la dernière guerre, il est dominé par le grand Christ en plomb doré de Clodion, sculpteur du XVIIIe siècle spécialiste de la statuette dite «de genre», qui ornait l'ancien jubé et par deux anges en prière provenant de l'église Saint-Vincent de Rouen. Tout autour du chœur, le déambulatoire, avec ses chapelles rayonnantes, comporte quatre travées droites éclairées par de très beaux vitraux du XIIIe siècle. Tout au fond, et constituant l'abside de la cathédrale, la chapelle de la Vierge date du XVe siècle. Plus de cent vingt sépultures s'y trouvent, parmi lesquelles on remarquera surtout le tombeau des chanoines d'Amboise et archevêques de Rouen, Georges Ier ministre de Louis XII et son neveu Georges II, tous deux en marbre blanc, dans une attitude de prière et celui de Louis de Brézé, soutenu par quatre cariatides et d'un style plus proche de celui de la Renaissance italienne. La statue de la Vierge domine un retable du XVIIe siècle, lequel encadre «l'Adoration des Bergers» de Philippe de Champaigne. Les vitraux de la chapelle de la Vierge sont du XIVe siècle et représentent vingt saints et archevêques normands. Quant aux rosaces, celles des portails de la Calende et des Libraires datent également du XVe, alors que la grande rose du portail central, en partie cachée par le haut du tympan de Rolland le Roux, date du siècle suivant. Il faut aussi signaler deux beaux vitraux de la Renaissance (dont celui de saint Romain dans la chapelle dédiée à ce saint) et quelques vitraux modernes.

Pour l'histoire littéraire, il faut rappeler que c'est un vitrail du XIIIe siècle dans une chapelle du bas-côté nord, don de la corporation des poissonniers de Rouen et représentant saint Julien l'Hospitalier qui a inspiré l'un des plus beaux contes de Flaubert. Le vitrail retrace la vie du saint en trente médaillons. «Et voilà», écrivait Flaubert, «l'histoire de saint Julien l'Hospitalier, telle a peu près qu'on la trouve sur un vitrail d'église, dans mon pays.»

En juin 1940, le passage des troupes allemandes, puis un incendie, avaient déjà endommagé le bas-côté sud de la cathédrale de Rouen. Mais c'est surtout après le 19 avril 1944 que le martyre commença. Des pans entiers de l'édifice furent éventrés et détruits et le 1er juin la tour Saint-Romain était en flammes. Le vent, qui s'apaisa durant la nuit, permit aux sauveteurs de limiter les dégâts. Ce ne fut que le 25 juin 1956 que la cathédrale fut rendue au culte : on y célébra le cinquième centenaire de la réhabilitation de Jeanne d'Arc. C'est en effet le 7 juillet 1456 que la sentence du 29 mai 1431 condamnant la sainte au bûcher, avait été annulée. Comment ne point songer alors aux dernières paroles que Charles Péguy mit dans la bouche de Jeanne :

O mon Dieu,
Puisqu'il faut qu'à présent Rouen soit ma maison, écoutez bien ma prière :
Je vous prie de vouloir bien accepter cette prière comme étant vraiment ma prière de moi, parce que tout à l'heure je ne suis pas tout à fait sûre de ce que je ferai quand je serai dans la rue, ... et sur la place, et de ce que je dirai...

134

Ci-contre :
Dans la chapelle de la Vierge, sur la droite, s'élève le tombeau des cardinaux d'Amboise : ils furent tous deux archevêques de Rouen, Georges Ier, ministre de Louis XII et somptueux mécène et son neveu et successeur Georges II. Agenouillés sur une dalle de marbre noir, ils prient en regardant l'autel. La dalle est supportée par un haut socle orné de statues : on peut y reconnaître des saints, des prélats, des prophètes, des apôtres et surtout les vertus cardinales et théologales, comme la Prudence ou la Tempérance. Le tombeau, précieusement orné, est un chef-d'œuvre de la sculpture de la Renaissance.

Pages suivantes :
Les verrières de la cathédrale de Rouen ont beaucoup souffert. Celles du XIIIe siècle, notamment, furent en partie détruites : il en subsiste quelques fragments dans le déambulatoire et dans les trois chapelles rayonnantes. Parmi les plus beaux ensembles conservés, il faut noter la légende de saint Julien l'Hospitalier retracée au XIVe siècle en trente médaillons, et aussi les quatre grandes verrières qui figurent dans la chapelle de la Vierge. Du début du XVIe siècle, date la grande rosace du portail central et quelques vitraux du bras sud du transept. Comme souvent dans les cathédrales meurtries, des vitraux modernes ont été posés tels ceux de la chapelle de sainte Jeanne d'Arc.

CREDVLITA

Strasbourg

La construction de la cathédrale de Strasbourg s'est étendue du 2 février 1276 au jour de la Saint Jean de 1439, soit cent-soixante-trois ans. On peut dire cependant que les travaux furent ininterrompus et qu'aujourd'hui encore on travaille à préserver des pollutions diverses cette architecture de grès rose.

L'emplacement sur lequel elle s'élève était jadis une colline au sommet de laquelle un bois sacré abritait le traditionnel dolmen des druides. Un temple dédié à Hercule et à Mars fut alors construit, sur les ruines duquel, au IVᵉ siècle, Saint Amand, apôtre des Flandres et du Hainaut, aurait élevé une église. Vers 510, Clovis, à son tour, fit construire une église, en bois et en terre. On peut affirmer qu'elle avait une nef principale et deux bas-côtés. En 675, Dagobert II autorisa l'évêque Arbogaste à l'agrandir. Cent ans plus tard, on construisait la crypte et Charlemagne exemptait du paiement de l'impôt tous les sujets de l'évêché de Strasbourg. En 873, un incendie détruisit en grande partie cette église, dont l'évêque Wernher entreprit la restauration, mais la foudre, en 1007, acheva de démolir l'édifice. Huit ans plus tard, on creusa les fondements d'une nouvelle cathédrale. On évalue à deux cent mille le nombre des hommes qui travaillèrent à sa construction. En 1028, les travaux étaient arrivés à la toiture : c'était un édifice roman à trois nefs.

Au XIIᵉ siècle, plusieurs incendies se déclarèrent et la cathédrale se révéla trop petite pour la population sans cesse croissante de Strasbourg. Nous ignorons le nom de l'évêque qui décida des plans de la nouvelle cathédrale. Les travaux de la nef qui durèrent de 1250 au 7 septembre 1275, veille de la Nativité de la Vierge, furent dirigés par un architecte résolument partisan de l'art gothique. Restaient encore la façade et les tours. L'évêque Conrad de Lichtenberg exigea du clergé, pendant quatre ans, le quart de ses revenus et confia à Erwin de Steinbach le soin d'élever la façade occidentale, dont les travaux commencèrent le 2 février 1276. La première pierre de la tour septentrionale fut posée le 25 mai 1277, jour de la Saint Urbain comme en témoignait une inscription autrefois placée dans la voûte du portail septentrional. Erwin, né dans le grand duché de Bade vers 1244 dirigea l'entreprise jusqu'à sa mort, le 17 janvier 1318. A cette date, la façade dépassait le deuxième étage des tours. Son fils Jean lui succéda. Les dépouilles mortelles de la famille (un autre fils, Winhing, fut aussi un architecte émérite) reposent aujourd'hui dans la cathédrale. Goethe, étudiant à Strasbourg, s'était mis à la recherche de la tombe d'Erwin, qu'un de ses camarades découvrit dans un petit cimetière voisin. On peut voir, dans la cathédrale, une statue présumée d'Erwin : appuyé sur une balustrade, il semble contempler son œuvre. Une autre statue, moderne, par Philippe Grass (1801-1876) se dresse au portail méridional du transept.

En 1289, un tremblement de terre ébranla l'édifice et, en 1298, un nouvel incendie endommagea toute la charpente. En 1348, la peste noire fit des ravages. L'architecte Gerlach reprit alors les travaux et construisit la chapelle Sainte Catherine. La tour septentrionale fut achevée en 1365. Pour lutter contre la possibilité d'incendies, on devait installer, à la fin du XIVᵉ siècle, dans différentes parties de l'édifice, de grandes cuves constamment remplies d'eau.

A l'apogée de la période gothique, la hardiesse des architectes ne connaissait plus de bornes. Aussi, celui qui décida de dresser vers le ciel une flèche de cent quarante-deux mètres de hauteur n'hésita-t-il pas à renforcer la structure de la façade, intercalant, entre les deux tours, au-dessus de la rosace, une partie massive aux deux fenêtres étriquées, qui renferme aujourd'hui les cloches. Le nom de cet architecte ne nous est pas connu, peut-être Ulrich d'Ensingen, architecte de la cathédrale d'Ulm. Mais nous savons qu'en 1439 la flèche fut achevée par Jean Hültz, de Cologne. Une statue de la Vierge fut dressée au sommet, que l'on retira en 1488. D'autres architectes se succédèrent, tels Dotzinger à qui l'on doit le baptistère et la chapelle Saint-Laurent ou Hans Kammerer qui, en 1486, construisit la chaire de pierre. La Réforme fit passer la cathédrale aux mains des Protestants, qui supprimèrent plusieurs chapelles, mais veillèrent à l'entretien de l'édifice. Durant les deux siècles suivants, de nombreux remaniements furent apportés : Egon de Fürstenberg fit abattre le jubé, on décora l'intérieur du chœur de lambris en bois peint et doré et on construisit une tribune pour l'orchestre. En 1759, la foudre fit fondre le plomb du toit de la nef. Sous la Révolution, deux-cent-trente-cinq statues de saints et de rois furent abattues et un certain Testerel proposa d'abattre la flèche qui, dépassant en hauteur les toits des maisons d'alentour, était une injure manifeste au principe d'égalité. Un bonnet rouge en métal fut alors hissé au sommet. Dans la nuit du 25 au 26 août 1870, la cathédrale était en flammes et de nombreuses parties furent fortement endommagées. Le toit s'écroula, les orgues furent transpercées. En 1918, Strasbourg fut rendue à la France. Le 11 août 1944, elle fut bombardée par les Alliés, mais il y eut peu de dégâts. Dès 1948, les vitraux, à l'abri, furent remis en place.

Aujourd'hui, la cathédrale a retrouvé sa sérénité, s'imposant au promeneur lorsqu'au bout de la courte rue Mercière, elle se dresse de toute sa hauteur, froide et rose. On a longtemps cru qu'elle était construite sur pilotis, mais elle est en fait construite sur des fondations solides, de pierre, de gravier et de pieux de chêne. La partie la plus ancienne est la crypte, qui s'étend sur toute la longueur du chœur, une partie correspondant à la basilique primitive de Wernher. La plus ancienne des chapelles est celle de Saint André, dans le transept méridional : elle remonterait à 1190. La chapelle Saint Jean-Baptiste, derrière le transept septentrional, date de 1240 environ et renferme le monument de Conrad de Lichtenberg. La chapelle Saint Laurent, qui a changé d'emplacement, fut restaurée au début du XVIᵉ siècle et correspond à la chapelle Sainte Catherine, construite entre 1340 et 1350.

La nef, élevée entre 1240 et 1275, est couverte d'un toit de cuivre. Elle a de grandes fenêtres en ogive ornées de rosaces. A l'avant, une travée remplace l'ancien porche de la basilique de Wernher et, à l'est, deux énormes piliers supportent les tours. Du côté gauche de la nef, les grandes orgues s'élèvent jusqu'à la voûte supérieure : elles datent de 1714 et sont l'œuvre d'André Silbermann. Mais, dès 1260, Ulrich Enghelbrecht avait construit les premières orgues.

Le chœur est relié à la nef par deux piliers aux chapiteaux de style roman. Il fut agrandi au cours des XVIIᵉ et XVIIIᵉ siècles, mais tous les ornements superflus furent supprimés au siècle suivant et l'ensemble a retrouvé une partie de sa simplicité primitive. Deux hautes colonnes

Au bout de la courte rue Mercière, comme une clôture, s'élève la façade de la cathédrale de grès rose, avec ses trois portails sculptés, sa grande rose, ses deux tours et sa flèche unique. Surmonté d'un double gâble où trônent le roi Salomon et la Vierge Marie, le portail central résume à lui seul toutes les données de la doctrine chrétienne. Au tympan, l'histoire du Christ depuis son entrée à Jérusalem, jusqu'à son Ascension. Aux ébrasements, se tiennent les prophètes. Les sculptures des voussures illustrent des scènes tirées de la Bible et des Evangiles. Au trumeau, séparant les deux vantaux de bronze, une statue de la Vierge, moderne.

rondes supportent la coupole de la croisée, la séparant des transepts : celle de l'aile méridionale est constituée d'un faisceau de mince piliers très élancés : on l'appelle la colonne des Anges. C'est en face de cette partie du chœur que se trouve la fameuse horloge astronomique, dont la première idée remonte à l'année 1352. Elle occupait le mur opposé à son actuel emplacement et ses mouvements furent sans doute arrêtés dès le xve siècle. En 1574, les frères Habrecht terminèrent la nouvelle horloge — celle que nous connaissons — dont la décoration fut confiée à Tobie Stimmer. Le mécanisme fut refait au siècle dernier. La figure de la Mort est placée au milieu des quatres âges de la vie : enfance, adolescence, âge mûr et vieillesse. A midi, les douze apôtres passent en s'inclinant devant le Sauveur qui lève la main pour les bénir.

La façade de la cathédrale de Strasbourg est d'une incomparable richesse : clochetons, arcades, colonnades, statues ne s'y comptent pas. Elle est constituée par les faces antérieures des deux tours et par le grand portail du milieu au-dessus duquel se trouve la rosace. Celui-ci présente les données historiques de la doctrine chrétienne : la création du monde, la création de l'homme, sa chute : au tympan, l'histoire de Jésus-Christ, depuis son entrée dernière à Jérusalem jusqu'à son ascension. Au tympan du portail de gauche, scènes de l'enfance du Christ jusqu'à la fuite en Égypte ; les statues des Vertus et des Vices encadrent les scènes de la nativité du Sauveur. Le portail de droite est celui de la Résurrection des morts et du Jugement. Au bas de la grande rosace, se trouvent quatre statues équestres : celles de Clovis, de Dagobert et de Rodolphe de Habsbourg qui datent de 1290 et celle de Louis XIV qui ne fut érigée qu'en 1828. De nombreuses autres statues d'empereurs et de rois ornent les faces latérales des tours.

Les deux chefs-d'œuvre de la statuaire de Strasbourg sont incontestablement, au double portail du croisillon sud, l'Église et la Synagogue aux yeux bandés.

Les plus anciens vitraux de la cathédrale datent de la phase romane de la reconstruction (XIIe siècle). Ils sont d'inspiration germanique. Deux d'entre eux, bleus, blancs et verts, datant d'environ 1200, représentent Jean-Baptiste et Jean l'Évangéliste. On peut suivre l'évolution du style dans les verrières consacrées aux rois germaniques. Le maître verrier le mieux connu fut Johannes von Kirchheim. Malgré l'influence de l'art français et de l'art allemand, on a pu dire avec raison que les vitraux de Strasbourg étaient surtout typiquement strasbourgeois. C'est en 1956 que fut posé le vitrail de Max Ingrand, Notre-Dame de la Paix, offert par seize nations.

C'est sur la tour septentrionale que s'élève la tour octogone qui supporte la flèche. Des tourelles renferment des escaliers tournants et viennent se terminer sur une galerie qui environne la tour et où commence la flèche. Six étages de petites tourelles sont posés en pyramide l'un sur l'autre et huit escaliers tournants conduisent à la lanterne et à la couronne. L'escalade devient ensuite vertigineuse. La hauteur totale est de cent-quarante-deux mètres. Et que voit-on? «On a Strasbourg sous ses pieds», écrit Victor Hugo, «vieille ville à pignons dentelés et à grands toits chargés de lucarnes, coupée de tours et d'églises. L'Ill et le Rhône *(sic)*, deux jolies rivières, égaient ce sombre amas d'édifices de leurs flaques d'eau vertes et claires. Tout autour des murailles s'étend à perte de vue une immense campagne pleine d'arbres et semée de villages. Le Rhin, qui s'approche à une lieue de la ville, court dans cette campagne en se tordant sur lui-même. En faisant le tour du clocher, on voit trois chaînes de montagnes, les croupes de la Forêt Noire au nord, les Vosges à l'ouest, au midi les Alpes. On est si haut que le paysage n'est plus un paysage...»

Ci-dessus :
La décoration du portail méridional est d'inspiration gothique : elle date du milieu du XIIIe siècle. Elle illustre la glorification et le couronnement de la Vierge et la supériorité de la Nouvelle Loi. Dans le tympan de droite, Marie est couronnée. Dans le tympan de gauche, nous assistons à la Dormition de la Vierge. La mort de Marie ne fut, en effet, qu'une sorte de court sommeil, et elle fut aussitôt miraculeusement enlevée au Ciel. Aux extrémités de ce double portail, se répondent l'Eglise et la Synagogue aux yeux bandés.

L'Eglise et la Synagogue, la Foi et l'Imagination. Claudel en a saisi merveilleusement la symbolique : « La première, en effet, elle a cette couronne en tête et ce sceptre dans la main qu'elle a hérité de son époux... Au rebours du mouvement de son corps, détourne la tête, son visage et ses yeux bandés (elle aussi, elle n'a plus de lampe pour lire) vers cet alliciant morceau de parchemin au bout de sa main gauche, qui est une espèce de proclamation au vide adressée par le vide. »

145

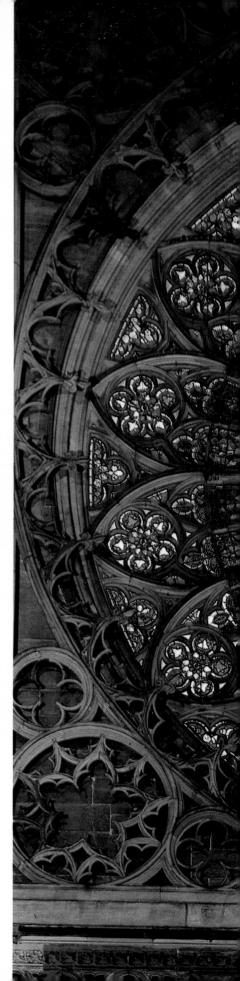

Dès le XIVe siècle, il existait une merveilleuse horloge dite « horloge des trois rois ». C'est en 1574 qu'une nouvelle horloge fut terminée, qui ne cessa ses mouvements qu'en 1789. Elle fut restaurée sous Louis-Philippe. A midi, les douze apôtres s'inclinent devant le Sauveur et le coq chante trois fois.

La grande rosace de Strasbourg date du début du XIVe siècle. Elle mesure quinze mètres de diamètre et occupe le second étage de la façade occidentale. Certes, nombre de ses éléments ont été brisés au cours des siècles, mais avec ses tonalités bleues, vertes, jaunes et blanches, elle a conservé toute sa sincérité.

146

Ci-dessus :
Au cinquième pilier du côté nord de la nef, s'élève la chaire, qui fut construite en 1486 par Hans Hammerer pour le célèbre prédicateur Geiler de Kaisersberg. Elle est ornée d'une cinquantaine de petites statues évoquant les Apôtres, les Evangélistes, des anges portant les instruments de la Passion et, sous l'escalier, la légende de saint Alexis. Un premier abat-voix, en bois de tilleul, avait été remplacé en 1617 : celui-ci fut à son tour remplacé. Au pied de l'escalier de la chaire, on peut voir deux personnages : un homme au repos et une femme en prière, sans doute le constructeur de la chaire et sa femme.

Ci-contre :
Au centre du croisillon sud, un faisceau de piliers très sveltes constitue une colonne d'une grande élégance. On l'appelle la colonne des Anges ou colonne d'Erwin, mais on pourrait aussi bien l'appeler colonne du Jugement. Elle est garnie de trois étages de quatre statues. En haut, le Christ est accompagné de trois anges portant les instruments de la Passion. Au-dessous, quatre anges sonnent de la trompette et, au niveau inférieur, les quatre évangélistes se tiennent sur quatre socles qui figurent leurs attributs.

Troyes

Troyes, la ville aux cent églises, comme on l'a surnommée, s'appela tout d'abord, alors qu'elle était capitale de la tribu des Tricasses, *Augustobona*. Le premier évêque en fut probablement Saint Amadou, mort en 340. Mais le plus célèbre fut Saint Loup. Fils d'une riche famille gallo-romaine, il naquit à Toul vers 383, fut moine à Lérins, et, évêque de Troyes, il sauva la ville des Huns d'Attila en 451. Il mourut en 478. Important lieu de foires et de marchés, Troyes fut longtemps une cité florissante, dont le déclin ne s'amorça qu'avec le mariage de Jeanne, dernière héritière des comtes de Troyes, avec Philippe le Bel, en 1284, ce qui eut pour résultat de rattacher la cité champenoise à la couronne de France. Un premier édifice religieux avait sans doute été construit au Ve siècle, par Saint Ours. Trois siècles plus tard, la nef en fut rebâtie, mais les Normands la ravagèrent vers 890. L'évêque Milon devait alors opérer les reconstructions nécessaires et agrandir le chœur. L'ensemble fut complètement détruit par le grand incendie de 1188. Ce n'est qu'en 1208 que l'évêque Hervé décida la reconstruction de l'édifice. A sa mort, en 1223, le chœur, le déambulatoire et les chapelles rayonnantes étaient achevés. Malheureusement, cinq ans plus tard, un ouragan détruisit entièrement la charpente et tout fut à recommencer. Le triforium et le chœur furent terminés en 1240, le transept vers 1300. Le 9 juillet 1430, la cathédrale Saint-Pierre et Saint-Paul était consacrée, mais elle demeurait encore inachevée. Grâce à Louis XI, Troyes connut à nouveau une certaine autonomie et c'est peut-être à ce renouveau économique que l'on doit la poursuite des travaux. Vers 1497, la nef est voûtée. Dix ans plus tard, commençaient les travaux de la façade, sous la direction de Martin Chambiges, qui joua un rôle si important à Beauvais. En 1546, la grande rosace était achevée et en 1554 la tour Nord s'élevait à hauteur de l'horloge. En 1634, elle était terminée. La tour Sud, elle, ne fut jamais achevée. La richesse de la cathédrale de Troyes est due au temps que dura sa construction : près de quatre siècles, même si cette lenteur a entraîné un manque d'homogénéité. En 1700 encore, la foudre endommagea la charpente et, au cours du XVIIIe siècle, comme souvent, de nombreux travaux, pas toujours très heureux, furent entrepris : on supprima, en 1791, le jubé et l'autel ; on posa un dallage de marbre et, pendant la Révolution, de nombreuses statues du portail furent mutilées. Jusque sous le Second Empire, il existait, au flanc nord de la cathédrale, entre les contreforts des «logettes», sortes de petites habitations pour humbles artisans, qui furent supprimées vers 1855.

Chaque cathédrale est représentative de la région où elle fut construite et rassemble, tant dans son architecture que dans sa statuaire, des éléments toujours divers et toujours caractéristiques. La cathédrale de Troyes représente l'art champenois, comme la cathédrale de Rouen représente l'art normand ou celle d'Amiens l'art picard. La façade principale, occidentale, comprend deux tours massives avec d'imposants contreforts. Seule la tour de gauche, qui s'élève à soixante-sept mètres, fut terminée, et guère avant le XVIIe siècle : 1640 ! Trois portails s'ouvrent sur cette façade. Leurs tympans ont perdus leurs statues et leurs gâbles sont interrompus par une balustrade décorée de fleurs de lys. Mais, même malgré les mutilations, l'ensemble apparaît richement orné, flamboyant. Au-dessus du portail central, une grande rosace et, dans la pierre, tout un monde d'animaux fantastiques et de gargouilles. Le portail du transept nord, qui date du XIIIe siècle, est particulièrement remarquable : c'est le «beau portail», au-dessus duquel resplendit une rosace de dix mètres de diamètre, accompagnée de quatre petites roses.

L'intérieur de la cathédrale Saint-Pierre et Saint-Paul a une longueur de cent quatorze mètres et vingt-huit mètres cinquante de hauteur sous voûte. C'est une impression de force et de légèreté qui s'en dégage. La nef est constituée de sept travées avec doubles collatéraux et chapelles ; le chœur de quatre travées droites, un rond point de cinq travées qu'entoure un déambulatoire à cinq chapelles rayonnantes. Sous les fenêtres hautes, le triforium entoure nef, transept et chœur : il date du XIIIe siècle dans le chœur et du XVe dans la nef. En toutes ses parties, la construction de la cathédrale s'est échelonnée sur plusieurs siècles. C'est également visible dans les verrières qui en font sa gloire. Les premières, celles du sanctuaire et du chœur, datent du milieu du XIIe siècle. Celles de la nef sont de la fin du XVe et du début du XVIIe. Les plus anciennes relatent la vie de la Vierge, la vie de Jésus, la légende de Sainte Hélène de Constantinople, ainsi que Saint Jean l'Évangéliste, Saint Pierre et Saint Paul et la légende de Saint Nicolas. Le vitrail de Saint Pierre et Saint Paul est particulièrement beau et d'une facture assez primitive. Les vitraux de la nef, aux couleurs plus vives, sont plus récents. On peut y lire l'histoire de Daniel, celles de Job et de sa famille, de Joseph et de Tobie, dont la mort, à la septième fenêtre, est remarquable par ses bleus et ses violets. A la quatrième fenêtre, l'arbre de Jessé, qui date de 1498, développe la généalogie du Christ. Vers 1550, les ateliers des verriers des Troyes abandonnèrent définitivement les sombres couleurs du gothique et la ville devint un centre de vitrail gravé et délicatement émaillé. La manière de traiter certains thèmes se modifia également vers cette époque. L'Immaculée Conception, la Parfaite Mère du Christ devient la Femme enceinte, enveloppée de soleil, ayant le croissant de lune sous ses pieds et la tête couronnée de douze étoiles : c'est la Vierge de l'Apocalypse, que l'on peut voir dans la chapelle des fonts. Il faut encore citer, dans la chapelle du Saint sacrement, le vitrail de l'Assomption et, dans la quatrième chapelle du côté nord, le vitrail le plus récent, puisqu'il date de 1625, qui représente le Pressoir mystique. C'est l'œuvre du maître verrier Linard Gontier. Le Christ est étendu sous le pressoir. Un cep de vigne sort de sa poitrine, qui se ramifie en douze sarments portant les douze Apôtres qui tiennent des grappes de raisin entre leurs mains. Ces grappes, on les retrouve d'ailleurs, dans les roses qui ajourent le sommet du vitrail. N'oublions pas que nous sommes en Champagne !

Ci-contre :
Il existe plusieurs Vierges à l'Enfant dans la cathédrale Saint-Pierre et Saint-Paul de Troyes. L'une des plus célèbres est la « Vierge au raisin », à la grâce un peu maniérée. Mais il existe une autre statue, due à un sculpteur champenois du XVIe siècle : elle tient l'Enfant, tout petit dans sa main gauche et son bras droit est malheureusement brisé.

Page en regard :
Les grandes orgues de la cathédrale de Troyes furent construites pour l'abbaye de Clairvaux, par Jacques Cochu, en 1737. Elles furent installées en 1806, devant la grande rosace du XVIe siècle, achevée en 1546 et qui représente Dieu le Père, entouré d'anges, d'apôtres, de patriarches, de martyrs et de saintes femmes.
Restauré et remonté en 1968, cet orgue comprend quatre claviers et soixante-cinq jeux.

Pages suivantes :
La cathédrale de Troyes possède environ quinze cents mètres carrés de verrières, qui peuvent se répartir en deux séries. Tout d'abord, dans le sanctuaire et le chœur, des vitraux du XIIIe siècle, parmi lesquels un vitrail central représentant la Passion du Seigneur : la flagellation, le couronnement d'épines et la mort en croix, mais aussi l'ensevelissement de Jésus, sa résurrection annoncée par l'ange aux saintes femmes et son ascension.
Dans la nef, on trouve surtout des vitraux du XVIe siècle, parmi lesquels un magnifique arbre de Jessé sur fond pourpre, déployant tous les ancêtres du Christ.

Glossaire

Abside : *Extrémité est, semi-circulaire ou polygonale, de la nef de l'église, derrière le chœur.*

Arbre de Jessé : *Arbre généalogique montrant que le Christ est issu de Jessé, thème familier des arts médiévaux et du vitrail.*

Arc boutant : *Arc d'une ouverture de 90° enjambant les bas-côtés d'une construction gothique. Il repose sur le contrefort ou culée et soutient sur le mur les points où s'exercent les plus fortes poussées des ogives.*

Bas côté : *Division latérale d'une église, parallèle à la nef (synonyme de collatéral).*

Basilique : *Église chrétienne du Moyen Age construite selon un plan rectangulaire terminée souvent par une abside semi-circulaire, avec une nef plus élevée que les bas-côtés.*

Chevet : *Partie extrême de la nef à l'est, au-delà du sanctuaire, assimilée en plan à la partie supérieure de la Croix où reposait la tête du Christ.*

Chœur : *Lieu où se tient l'ensemble des chantres, généralement séparé de la nef par un jubé ou une balustrade. S'applique parfois à l'ensemble du sanctuaire.*

Claire-voie : *Fenêtres en série placées en haut de la nef principale et l'éclairant directement.*

Clef de voûte : *Pierre placée au sommet d'une voûte et qui maintient les voussoirs de celle-ci.*

Collatéral : *Synonyme de bas-côté.*

Contrefort : *Bloc de maçonnerie élevé en saillie sur un mur pour l'épauler ou le renforcer afin de résister à la pesée d'une voûte.*

Croisée de transept : *Intersection de la nef principale et du transept.*

Déambulatoire : *Bas-côté semi-circulaire ou polygonal faisant le tour du chœur derrière l'autel.*

Écoinçon : *Surface triangulaire inscrite entre deux arcs placés côte à côte.*

Fenêtre en rose : *Forme ancienne de la rosace, dans laquelle le remplage présente l'aspect des rayons d'une roue.*

Gâble : *Pignon ornemental très pointu, souvent ajouré, qui surmontait au Moyen Age les lucarnes, les fenêtres ou les arcades d'un portail ou la base du clocher gothique.*

Gargouille : *Pierre saillante formant gouttière et destinée à éloigner des murs les eaux de pluie s'écoulant du toit. A l'époque gothique, les gargouilles furent prétexte à des sculptures fantastiques.*

Gothique : *Style d'architecture datant du milieu du XIIᵉ siècle, caractérisé par l'arc brisé, l'arc boutant, la voûte nervée et une grande verticalité des lignes défiant souvent les lois de la pesanteur.*

Grisaille : *Vitrail clair, de peinture monochrome en camaïeu gris, souvent orné de motifs décoratifs de feuillage.*

Jubé : *Galerie surélevée entre la nef et le chœur. Le jubé forme une sorte de* tribune transversale du haut de laquelle se faisait autrefois la lecture de l'épître et de l'évangile.

Linteau : *Pièce de pierre, fermant la partie supérieure d'une ouverture et servant à soutenir la maçonnerie au-dessus de cette ouverture.*

Médaillon : *Petit panneau de vitrail, généralement de forme circulaire.*

Meneau : *Colonne verticale de pierre qui divise les jours d'une fenêtre.*

Narthex : *Galerie ou portique intérieur placé à l'entrée des églises du début de l'ère chrétienne et, plus tard, dans certaines basiliques.*

Nef ou vaisseau : *Partie intérieure d'une église, comprise entre la façade principale et le sanctuaire.*

Pilier : *Solide support de maçonnerie, carré et plus épais qu'une colonne, mais jouant le même rôle.*

Remplage : *Réseau léger de pierre découpée remplissant la partie haute des fenêtres au-dessus des meneaux, ou l'intérieur de la circonférence d'une rose de façade ou de transept.*

Roman : *Style fondé sur le dessin de l'architecture romaine et caractérisé par l'arc en plein cintre, des colonnes et des murailles épaisses.*

Rosace : *Fenêtre circulaire avec un remplage radiant en forme de pétales dérivé de la fenêtre en roue.*

Sacristie : *Annexe de l'église où sont déposés les vases sacrés et les vêtements sacerdotaux.*

Sanctuaire : *Partie de l'église située autour de l'autel principal et où s'accomplissent les cérémonies liturgiques.*

Tour-lanterne : *Dans l'architecture chrétienne, tour percée d'ouvertures surmontant la croisée du transept.*

Transept : *Nef transversale coupant la nef principale et donnant à l'église la forme d'une croix.*

Travée : *Dans l'architecture romane, espace entre les piliers de deux arcs successifs ; dans l'architecture gothique, espace compris entre deux piles fortes.*

Triforium : *Galerie en arcades au-dessous de la claire-voie, parfois vitrée, donnant sur l'intérieur de la nef. Lorsqu'elle occupe toute la largeur des bas-côtés, elle porte le nom de tribune.*

Trumeau : *Partie d'un mur séparant deux ouvertures. Panneau ornemental décorant cet espace. Dans un portail d'église, pilier séparant les deux parties du portail.*

Tympan : *Espace uni ou orné de sculptures, circonscrit par un ou plusieurs arcs et par une ou plusieurs lignes droites. Espace uni ou orné de sculptures qui se trouve compris entre le linteau et l'arc d'une porte.*

Voussure : *Surface courbe d'une voûte ou d'une arcade comprise entre la naissance et un point situé en deçà du point le plus élevé de l'arc que décrirait cette courbe afin de former une voûte complète.*